著作权合同登记号：图字 18-2023-118

图书在版编目（CIP）数据

物理魔法使马修. 9 /（日）甲本一绘著；集英社官方翻译组译. -- 长沙：湖南文艺出版社，2023.9
ISBN 978-7-5726-1352-4

Ⅰ. ①物… Ⅱ. ①甲… ②集… Ⅲ. ①漫画－连环画－日本－现代 Ⅳ. ①J238.2

中国国家版本馆 CIP 数据核字（2023）第 145067 号

上架建议：畅销·漫画

WULI MOFASHI MAXIU. 9
物理魔法使马修. 9

绘 著 者：[日] 甲本一
译　　者：集英社官方翻译组
出 版 人：陈新文
责任编辑：匡杨乐
监　　制：邢越超
策划编辑：韩　帅
特约编辑：尹　晶
版权支持：金　哲
营销支持：文刀刀　李美怡
封面设计：梁秋晨
出　　版：湖南文艺出版社
（长沙市雨花区东二环一段 508 号　邮编：410014）
网　　址：www.hnwy.net
印　　刷：北京中科印刷有限公司
经　　销：新华书店
开　　本：740 mm × 980 mm　1/32
字　　数：81 千字
印　　张：6.5
版　　次：2023 年 9 月第 1 版
印　　次：2023 年 9 月第 1 次印刷
书　　号：ISBN 978-7-5726-1352-4
定　　价：32.00 元

U0647264

若有质量问题，请致电质量监督电话：010-59096394
团购电话：010-59320018

在附带条件的情况下，魔法局破例允许伊斯顿再派出3人参加。
居然没逃，算你们有种。
明知会输……
站起来的时候麻烦说一下，很危险的。
前进的时候记得给我暗号。
说到团队合作，就是骑马游戏了。
为什么在玩骑马游戏？
！
根本没在听……

最终考试当天
格瑞夫宅邸
吼——
这一刻
终于来了。
9马修·班迪德与三魔校争夺“神觉者”最终考试(完)

那家伙只要活一天，
自己就无法独占来自父亲的百分之百的认可……
多米纳的欲望的形状彻底扭曲了，
而这种扭曲的欲望永远不会得到满足。
直到他将马修·班迪德
消灭为止。

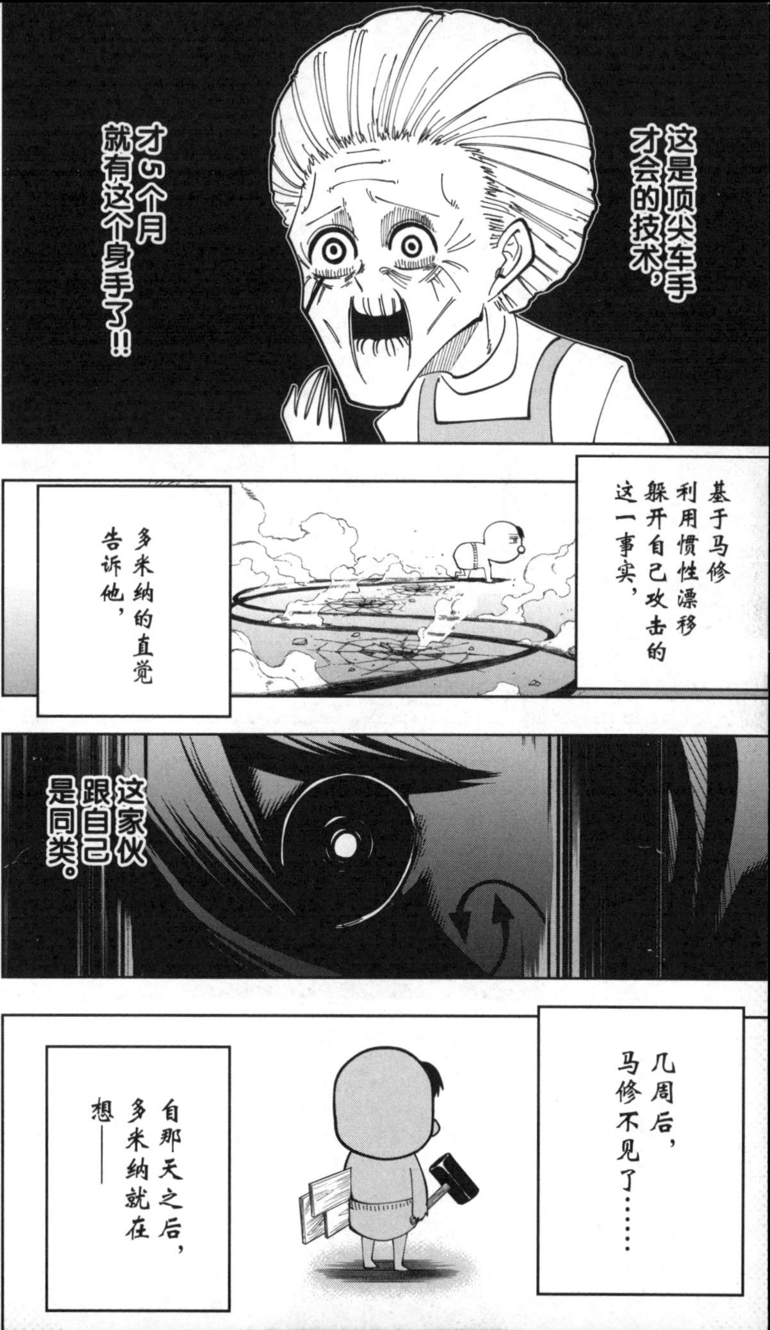
这是顶尖车手才会的技术，
才5个月就有这个身手了!!
基于马修利用惯性漂移躲开自己攻击的这一事实，
多米纳的直觉告诉他，
这家伙跟自己是同类。
几周后，马修不见了……
自那天之后，多米纳就在想——

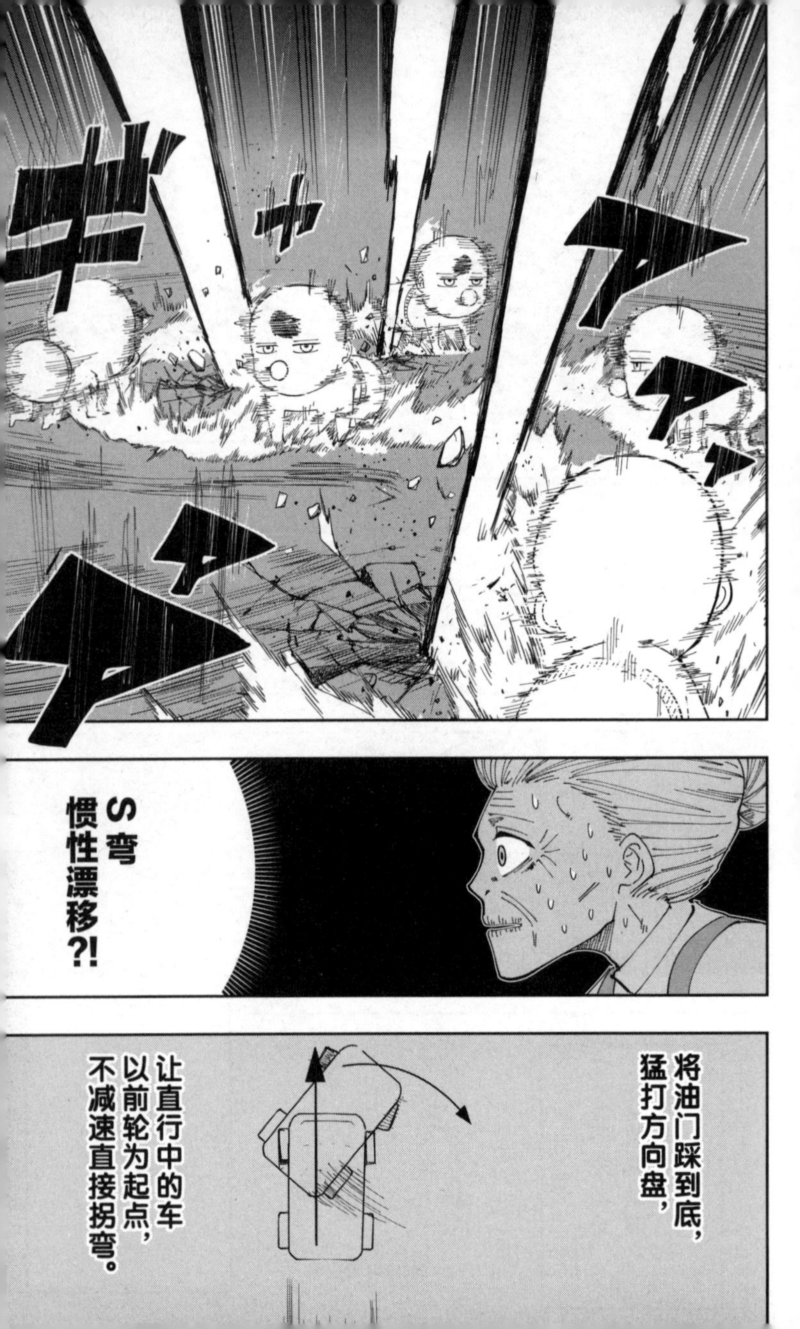
S弯
惯性漂移?!
将油门踩到底，
猛打方向盘，
让直行中的车
以前轮为起点，
不减速直接拐弯。

有天晚上，他又产生了一个想法。
为什么那个没有魔力的婴儿受到的待遇会跟自己一样？
为什么他会跟自己拥有同样的地位？
就如同猛禽的幼雏为了独占父母的爱，会欺负同一个鸟巢中比自己小的雏鸟，
多米纳出于本能想要消灭马修。
多米纳控制魔力，
危险!!
朝着马修攻了过去。

多米纳非常尊敬他的父亲，
父亲身上散发出来的强者气息
令他本能地心生敬服。
而且出生后不久他就明白了一个道理，
他的这条命是为了那个人而存在的，
为此他才会拥有这种特别的力量。

产婆有一种感觉……他长大肯定会成为一个非常了不起的魔法使……
而另一个孩子——
不会使用魔法的马修，不分时间、不分地点地打造家具。
シャッ
看到他用刨子的手法，无人不发出赞叹之声。
シャッ
他的手艺越来越好，都能打造出像模像样的柜子了。
产婆有一种感觉……他长大肯定会成为一个非常了不起的木工……

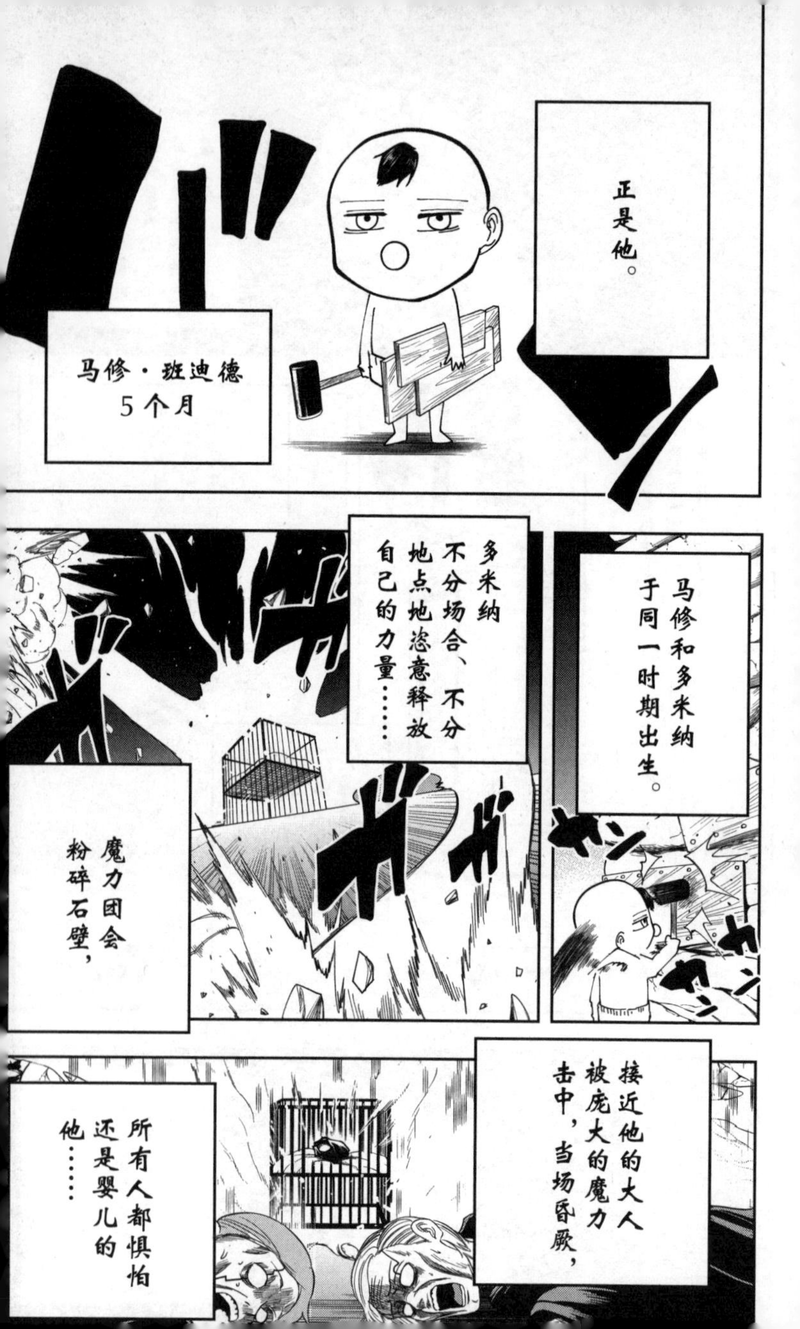
正是他。
马修·班迪德
5个月
马修和多米纳于同一时期出生。
多米纳不分场合、不分地点地恣意释放自己的力量……
魔力团会粉碎石壁，
接近他的大人被庞大的魔力击中，当场昏厥，
所有人都惧怕还是婴儿的他……

一个孩子诞生在这个魔法界。
他就是多米纳·布罗利夫。
还不满一岁的婴儿时期的他所释放出的魔力便非同小可，
以至于周围的建筑物由于承受不住那庞大的魔力，直接崩塌了。
而修理那些建筑物的——

啧！跑了。追!!
刚刚那完全不设防的全力一击……
是真的做好了赴死的准备!!
对方究竟在搞什么鬼？
15年前，

真是不好对付。
滋
冲过来了?!
打算孤注一掷，直接攻击术者吗?!
不死·墙
糟糕!!

噗
什么时候……居然没发现。
最初的攻击是为了制造分身的佯攻吗……
不死·爪刺。
龙·三叉戟。
原来早就绕到我身后去了。

シュウ!!

足以扛住我的攻击的强大魔力。
但他始终没有轻易攻击，
防御和攻击不能同时用吗？
不过也不见得。
厉害，只是瞬间的交锋，连我的魔法的性质都猜出来了，
一对一还好，两个啊……太冒险……
魔力的量又提升了!!
这家伙到底是何方……
?!

呼
一般的高手早就死3次了，
他居然毫发无伤，不简单……
同时对付两个『神觉者』还是有些吃力啊。
衣服也没有损伤，是缓和攻击的魔法吗……
如果我猜得没错，他拥有……

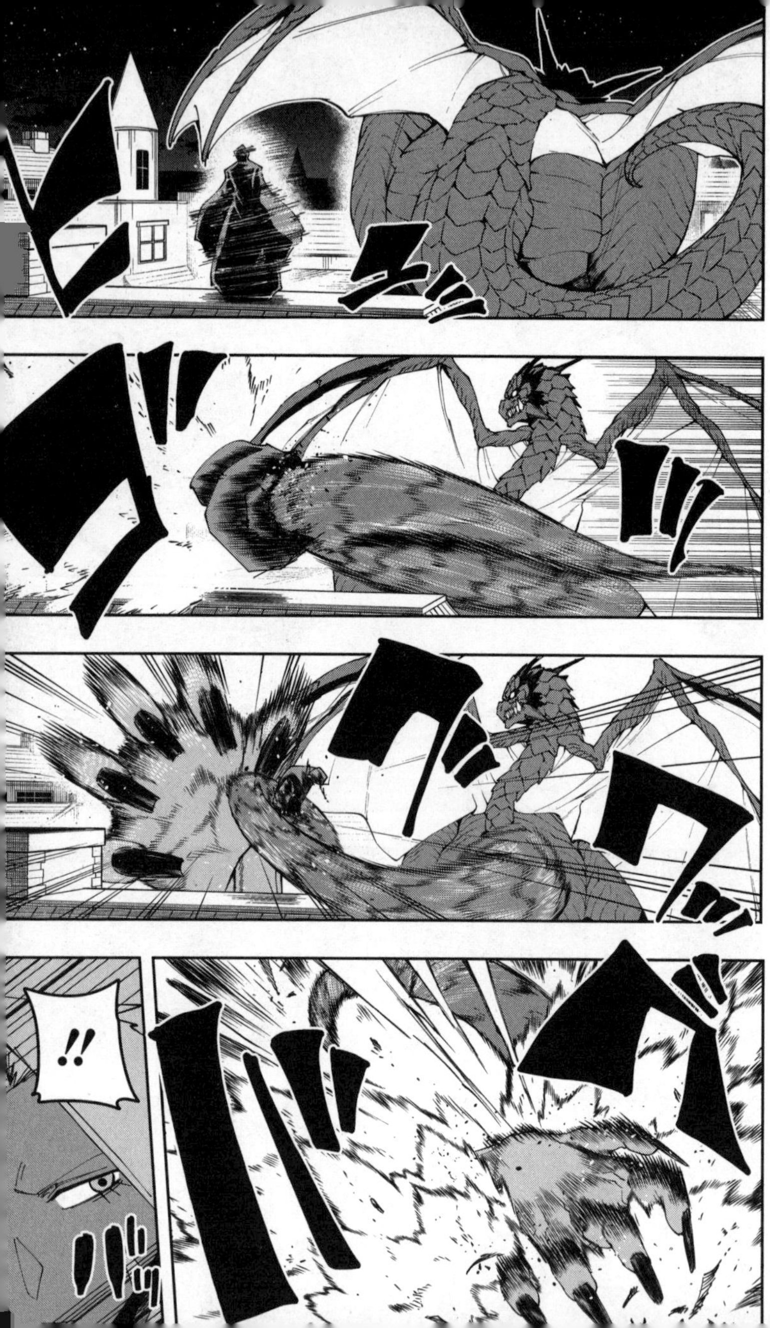

一般的警备队对付不了，
所以我们特意来看看……
一下就中大奖了!!

第82话 马修·班迪德与婴儿时期
呜呜！
啊呜！
啊嘎啊嘎！
你在干什么?!
最近有人报警，说巷子里有坏人出没，
见人就吸光别人的魔力。

你问我答环节② Q&A

Q.4/ 参加最终考试的为什么是马修、兰斯和达特？
（读者提问）

A.4/ 选拔考试留到最后的是马修、
兰斯、达特和马卡龙。
马卡龙弃权了，所以就剩他们仨了。

Q.5/ 让阿贝尔他们参加最终考试的条件是什么？
（读者提问）

A.5/ 他们只是协助，
没有资格参与“神觉者”的竞选。
目的是让伊斯顿和瓦尔吉斯
之间的比试变得公平。

最后一战
我一定会赢。
……
要是输了，祖护你的这些人都会被整个魔法界问罪吧……
要想获得认可，就必须获胜。
马修·班迪德……
意思是你答应跟我结婚了，对吗？
你是怎么得出这个结论的？
啊啊啊!!

有的人
可能一辈子
都遇不到一个
会出声
袒护自己的人……
你真是拥有
一群好朋友啊。
你们是老朽的骄傲。
……
进入这所学校后，
我得到了很多
重要的东西。
所以——

不过，魔法局已经说了，
如何处置他要等最终考试结果出来之后再决定……
所以，不知诸位是否愿意再等一段时间呢？
……
……
……
……
马修·班迪德……
！

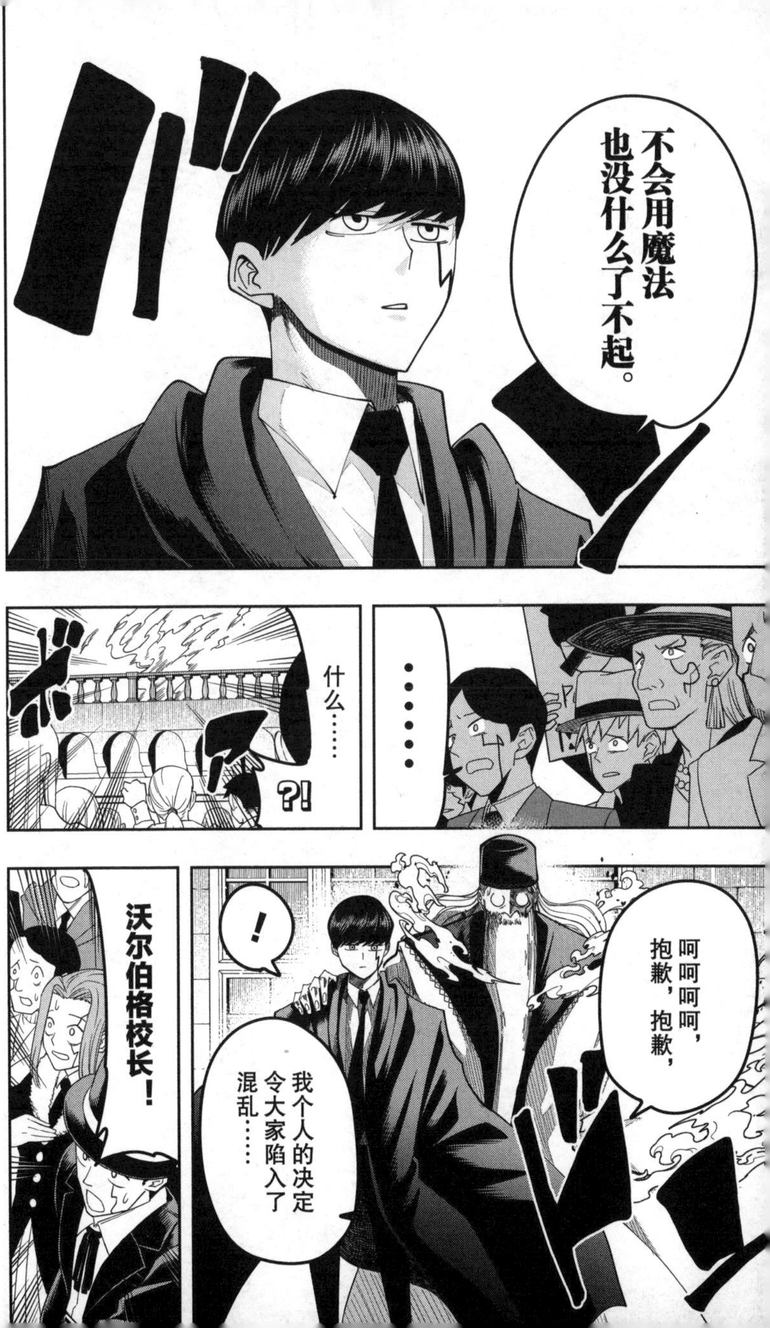

不会用魔法也没什么了不起。
什么……
……
?!
！
沃尔伯格校长！
呵呵呵呵，抱歉，抱歉，
我个人的决定令大家陷入了混乱……

咿呀啊啊啊!!
……
……
毕竟大家这么多年都是这么过来的，
突然让你们接受可能不太现实。
我会成为这魔法界的第一，
证明给你们看——

咿呀啊啊啊啊!!
我那厚 15 厘米，
连大型魔物都能
轻松困住的围墙！
哼！
咿呀!!

可是很强……
*戳
嗯？
*戳
欸？不可能啊……这围墙的厚度有15厘米，连大型魔物都能轻松困住啊。
*嘭
肯定是幻觉！这围墙的厚度有15厘米，连大型魔物都能轻松困住！
*嘭

马修!!
是马修·班迪德!!
别让他跑了!!
抓一个
不会用魔法的家伙
轻松得很……
监禁围墙!!
马修!!
啊哈哈哈哈哈!!
是我抓到他的!!
这围墙的
厚度有15厘米,
能轻松困住大型魔物!

那个女人也是扰乱世界秩序的道德败坏的家伙!!
不用手下留情!! 大家一起把她抓起来!!
パァァァァ
道德败坏的家伙!!
道德败坏的家伙!!
ビクッ
ゴオッ
*啪
パ
パ
パ
パ

我相信
他绝对不是坏人!!
噗——哈哈哈哈，
女人就知道感情用事。
只要抓住那个不会用魔法的『神觉者』候选人，我就能一举成名……
但整个世界可不能感情用事!!
不会用魔法的人根本没有人权!!

如果基于这种莫名其妙的原因就要判他有罪，
那我愿意一起接受惩罚!!
就算你们朝我扔石头!!
就算你们用难听的话骂我!!
你为什么特意赶回来救我……
一想到如果你的『种种原因』跟我的差不多，
他是那么……
就觉得挺可怜的。
他是那么温柔的一个人……

!!
流血
小雷蒙!!
!
等等，你去的话，事情只会越来越麻烦。
忍耐。
已经够了……
马修……只是不会用魔法而已……

会使用魔法的各位，你们好。像我这样的年轻人能当选候选人，实在是不胜惶恐。
请允许我放肆地说上一句——
宰了你。
以上。
什么?! 这是挑衅吗?!
把马修·班迪德交出来!!
怎么变得更复杂了.
嘎噜噜噜噜噜噜!! 我要保护他!!
嘎噜噜噜噜噜噜!! 不是他的错!!
居然包庇不会用魔法的家伙，你们也是罪人!!
这些道德败坏的家伙都该接受审判!!

妻子。
那家伙结婚了吗?!
怎么会这样……
或者说，我们是命运共同体，红色的锁链将我们紧紧地联结在一起。
有意见吗，浑蛋们?!
这个女人搞什么!!
要打一架吗?!
等一下!!
你是……!!
我是马修，班迪德的——
经纪人。
经纪人?!
我这里有他本人的回应，接下来由我代读。

他只是不会魔法而已，
这是他的错吗？
魔法的优劣能决定人的价值吗？
我不这么认为。
不会用魔法就是被神抛弃的证明!!跟我们不同!!
而且，你跟那家伙是什么关系?!
无关的人退下!!
我不是无关的人，我是……
马修·班迪德的——

魔法界顶尖的学校里居然有不会用魔法的人，真是前所未闻!!
按照法律，马修·班迪德应该接受审判!!
让身体里流着肮脏血液的家伙参加神的祭典，简直荒谬!!
这是对神的亵渎!!
糟糕，已经群情激愤了。
请你们听我说两句!!
小雷蒙……她在那里干什么……

タッ
タッ
タッ
快看外面……
这是……
把马修·班迪德交出来!!
居然让魔法不健全者留在学校，我们需要一个解释!!

玩了15个小时的DOUBT……
5
DOUBT!!
嘎噜嘎噜嘎噜……
你们要玩到什么时候啊……
我们正在为自己的尊严而战!!
不要阻止我们!!你这个妹控!!
我宰了你。
困了，我不玩了。
我也累了，不玩了。
欸？呃……欸……哦……
马修，出事了!!快来!!
!

第81话 马修·班迪德与好朋友
魔法界郊外某处
号外！
号外！
喂喂……不是吧！
名牌学校伊斯顿居然出了这种事……
这可是大丑闻啊!!
名牌学校伊斯顿
居然让魔法不健全者
当“神觉者”候选人?!

你问我答环节 Q&A ①

Q.1/ 马卡龙是男是女？（读者提问）

A.1/ 既是女人，也是男人……
只能这么说。

Q.2/ 马修的印记在洗脸的时候不会被洗掉吗？
（读者提问）

A.2/ 是用特殊方法弄上去的，所以不会掉!!!

Q.3/ 第 74 话的马修是怎么把自己埋到地里的，
而且还埋得那么好？（读者提问）

A.3/ 先这样，再这样!!

哔
我说得对吗？
呜啊啊啊啊啊!!
我会代替弱小的你
杀掉所有人。
哔
DOUBT!!
DOUBT!!
DOUBT!!
距离比赛还有2天。

喂……
赛尔……
你这个没用的东西，
怎么还有脸活着回来？
呜啊！
喀喀！
我想得到比我强的人的认可……
可这个小小的心愿就是实现不了。
因为世上到处都是你这样的垃圾……

ゴゴゴゴゴゴゴゴ
父亲……
请您再等待一段时间……
我一定会完成您的心愿……
因为我们就是为此而生的。

一年级的时候，他就已经被人叫神童了，他的实力毋庸置疑……
只是没想到他去了瓦尔吉斯……
最需要注意的还是带队的那个叫多米纳的男人，
利夫肯听他的，证明他的实力肯定很强……
不知道他到底是何方神圣。

※一种扑克牌游戏。所有人扣着出牌，出牌的同时报数，第一个人报1，第二个人报2，以此类推，一直报到13。在别人出完牌后喊出“doubt”就可以检查对方扣的牌跟报的数是否相符。如果相符，喊出“doubt”的人就要把所有人已经出的牌拿起来。如果不相符，就由出牌人将所有人已经出的牌拿起来。先出完手中的牌的人就是胜者。

吞口水
这次的对手居然这么强……
糟糕了……
先玩把DOUBT吧。
嗯。
对，先玩把DOUBT。

那个戴着眼罩的叫利夫·洛斯库沃斯，是魔法局局长的儿子，
他原本是伊斯顿的学生……
魔法局局长的儿子?!
而且以前是伊斯顿的学生？怎么回事……
那个人品行不良……
在伊斯顿跟老师吵架，当场把老师打到半死，所以被开除了……
最主要的是，那名老师可是魔法局警备队的高手……

瓦尔吉斯那6个人……
都相当强……
会不会比我强呢，妈妈？
肯定没我强。
这些人麻烦死了……
瓦尔吉斯的学生原本就是实力至上，天赋很高，
而且我感觉到了暗之力……
尤其是那两个人，大家要小心……

ギチ ギチ
ギチ ギチ
什么——?!
你是小学二年级的小朋友吗——?!
不能这样吧!!
喂，马修，这样不好。
我可不希望我的同学是个会耍赖的人。
好吧……
被教育了!! 他是小学二年级的学生吗——?!
话说回来，这次的最终考试似乎会是一场恶战啊。
欸？怎么突然说这么严肃的话题……

一点都不好玩——
很丢人啊，快住手。
对……对不起。
多么暴力且不公平的抽王八啊。
根本就是独裁嘛。
啊，马修把鬼牌抽走了。
……
真好懂……
嘿嘿……跟他互抽太简单了。
哪个是鬼牌看表情就知道了……

什么意思？
不许抽吗？
スッ
很好。
スッ
スッ

果然抽王八最适合用来在战前增进感情……
来，抽吧。
……
那我就不客气了。

为什么曾经是敌人的你们要帮我们？
……
因为欠你们的，
仅此而已。
欠？
我借钱给你了？
是比钱更好的东西。
奶油泡芙？

……
请不要私下决定——
那两个人……
伊斯顿追加参加者一事需要征求魔法局的意见!!
考试延期至后天，并会在新的场地进行。
不是今天啊。
『神觉者』最终考试的开幕式
到此结束。
那个……
!

是吗？我倒是无所谓。
好吧，我同意你们参加。
哼哼……

哎呀……
你是什么时候……
别闹了，加尔福……
跟他交手，就算是你，也不可能毫发无损。
我听过你的传闻……
应该能让我稍微开心一下。
!

……
这就是我们
家人间的羁绊。
都说不是家人啦。
呜欧呜欧呜欧。
有两下子嘛。
！

好不好啊？
你们这几个三流魔法使!!
?!
わっ
*哗然
等等，加尔福。
咝

!
你们是什么东西？
呵呵……我们只是
马修·班迪德的fam（家人）。
才不是。
fam？这话听着怎么那么搞笑呢……
不是fam，只是熟人。
既然是一伙的，就别废话了，我这就让你们消失！

伊斯顿这边
也追加3人……
我们没有资格
成为『神觉者』，
仅代表学校
前来支援他们。
毕竟
太不公平了。
……
……
第80话 马修·班迪德与大家一起打扑克

早晨的习惯③-2

附录漫画（完）

妈妈？
又在跟人偶说话了……

啊？
ざわ
*哗然
ざわ
ざわ
ざわ
那是!!
我说得没错吧，
啊……
啊啊……
啊……

马修!!
马修!!
解决一个……
!
?!
6打一，
太不公平了。
コツ コツ
*脚步声

ドゴ

?!
被关起来了?!
怎么回事?!
一个一个对付！
我们の人
就来上演一场
血的祭典吧！
上——!!

没有决心的垃圾
就别做白日梦了——

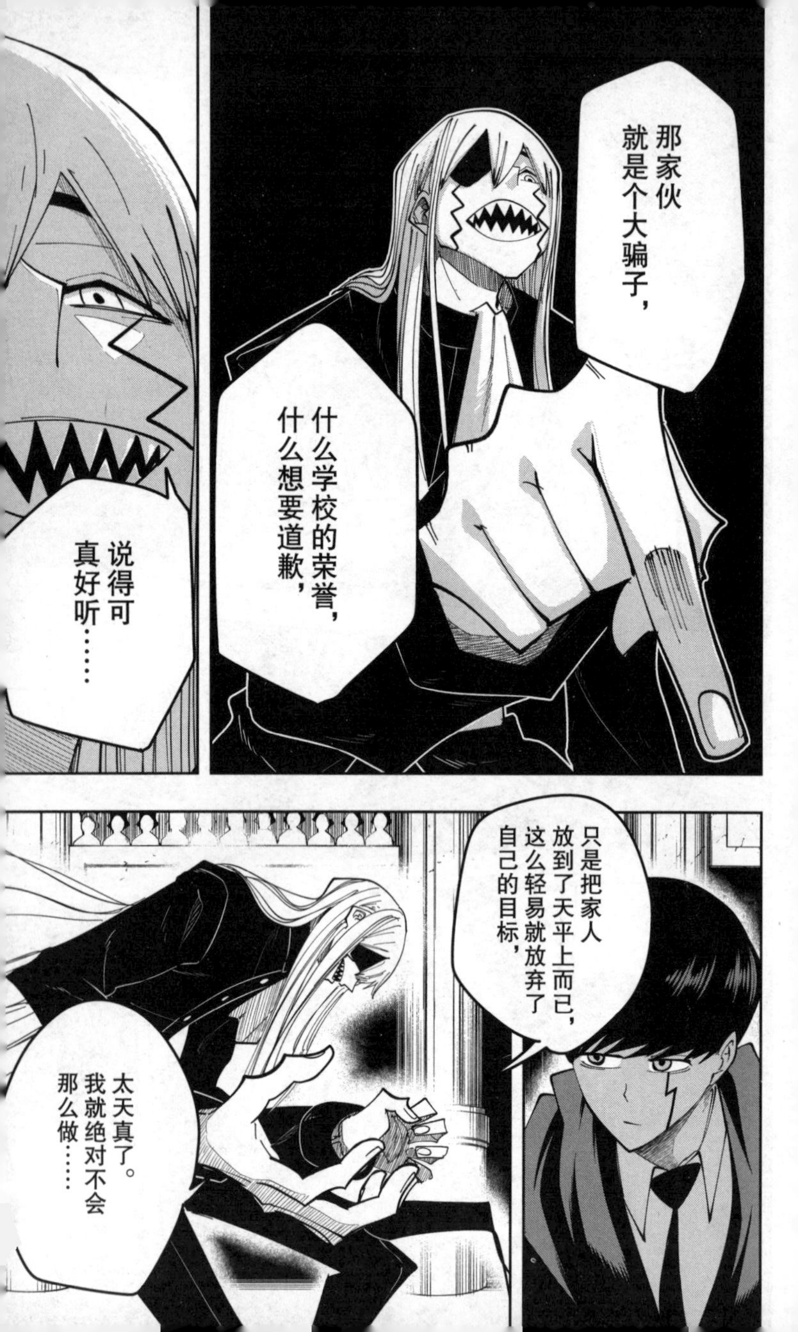
那家伙就是个大骗子，
什么学校的荣誉，什么想要道歉，
说得可真好听……
只是把家人放到了天平上而已，这么轻易就放弃了自己的目标，
太天真了。我就绝对不会那么做……

真的
很对不起!!
请你们一定要打败他们……
那种人没资格立于他人之上，拜托了……
说谎可不好啊。

呼呼……
你是伊斯顿的候选人之一吗……
咯咯……我们圣·亚尔斯输给了那些家伙，
不仅如此，他们还对我们的家人施加了诅咒……
转让考试名额也并非我们的本意……
咯咯
咯咯
学校的荣誉和家人的安全……
我们选择了后者……
是我们太没用了……
用力
对不起……

我是圣·亚尔斯的克恩鲁斯，
我有话要对伊斯顿的人说！
?!
喀喀……
喀喀！
你还好吗？
喀喀……
喀喀……

试问世上有哪个弟弟会比哥哥优秀呢？
更何况你还不会魔法。
？？？？？
我的家人
只有老爷子一个，我可没有兄弟哟。
你不是『纯粹的根源』的孩子吗？他说的应该是那边的关系。
哦，那个啊。
等一下……
！
ズズ

其实我不喜欢与人争斗，
但为了老爷子和朋友，我不得不这么做。
为了重要的人啊……
那跟我一样。
只是，你赢不了我。
因为我们从出生的那一刻起，谁优谁劣就已经注定了……
？
我说得不对吗？

加起来就是
18个人？
*议论纷纷
是9个人啊……
那家伙怎么回事……
他是怎么算出18个人的啊……要是12还能理解……
不过无所谓，来几十个也照打不误……
口气不小啊。

*哗然
情况不太妙啊。
这次是学校跟学校之间的对抗……
那岂不是变成6对3了!!
糟了，就算马修再厉害，
对方人数那么多……
嗯？原本是9个人，
3个不来了，又加了3个……
！

也不会在注重形式和大义的圣·亚尔斯产生，
而是会在只看重魔法实力，实力至上主义的
我们瓦尔吉斯产生……
我们の人就是代表瓦尔吉斯参加本次考试的候选人。

真正将魔法练到极致的人才有资格成为『神觉者』。
换句话说，『神觉者』不会在重视人品的伊斯顿产生，

真是明智的选择……
肯定是觉得自己没资格成为『神觉者』，主动弃权了吧！
名额我们就不客气地收下了。
?!
*咣

前情提要：3所学校中的圣·亚尔斯的候选人没有到场。
后面还有内容……
我看看……我圣·亚尔斯自愿将考试名额
让给瓦尔吉斯！

第79话 马修·班迪德与实力至上主义魔法学校

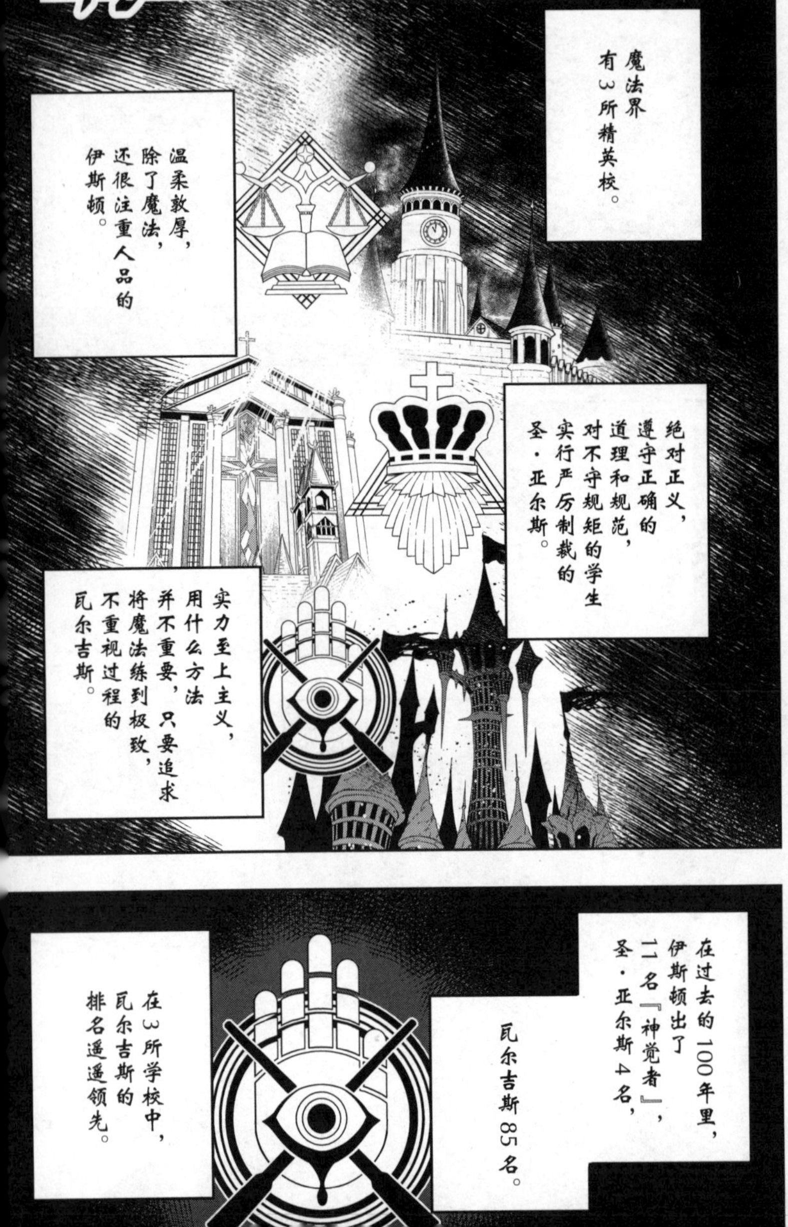
魔法界有3所精英校。
温柔敦厚，除了魔法，还很注重人品的伊斯顿。
绝对正义，遵守正确的道理和规范，对不守规矩的学生实行严厉制裁的圣·亚尔斯。
实力至上主义，用什么方法并不重要，只要追求将魔法练到极致，不重视过程的瓦尔吉斯。
在过去的100年里，伊斯顿出了二名『神觉者』，圣·亚尔斯4名，
瓦尔吉斯85名。
在3所学校中，瓦尔吉斯的排名遥遥领先。

早晨的习惯③-1

起床
AM 5:00
确认气温
AM 5:10
点名
AM 5:15
兔吉，兔藏，兔美，
兔子，兔太郎，兔山，兔雄，兔之新，兔助。
确认体温
AM 5:20

P148 待续

他在笑……
那几根魔法杖肯定是圣・亚尔斯的候选人的……太可怕了!!
!
喂，你们快看……
他们在喝下午茶!!
アマーーン
准备？
咀嚼
咀嚼
那是什么？

?!
沾满血的魔法杖?!
伊斯顿的各位，
你们准备好了吗？
啪咔啪咔
接下来要轮到你们了哟。

圣·亚尔斯！
圣·亚尔斯的候选人请入场。
什么……圣·亚尔斯刚刚送来了信？
圣·亚尔斯的候选人居然弃权了!!
这究竟是怎么回事?!
哼哼……看来圣·亚尔斯的人
怕了啊。

*出场
考生入场！
伊斯顿！
瓦尔吉斯！

三魔校争夺
『神觉者』选拔
最终考试开始！

神赐予了我们名为智慧的恶魔之力，
名为魔法的神秘之力。
在这个魔法就是一切的世界，
能将魔法运用自如之人会被尊为最接近神的存在。
今天……
就会决出谁才是神选之子!!

最终考试当天
伊斯顿大讲堂
*吹奏声
*击鼓声

被一个人……
看来这个世界上
并没有你们的立足之地。

认可。
不被认可就等于不被这个社会需要，
不需要的人……
说的就是你们。
我们可是……圣·亚尔斯的前三名啊……居然……

我是这么认为的……
对人来说，真正的幸福就是——

这怎么可能，居然轻易就将我的二阶魔法……
你认为，人的幸福是什么？
コッ
コッ
！
コッ
コッ
消失了。

铁锤。
*咚
シュウウウウ
?!

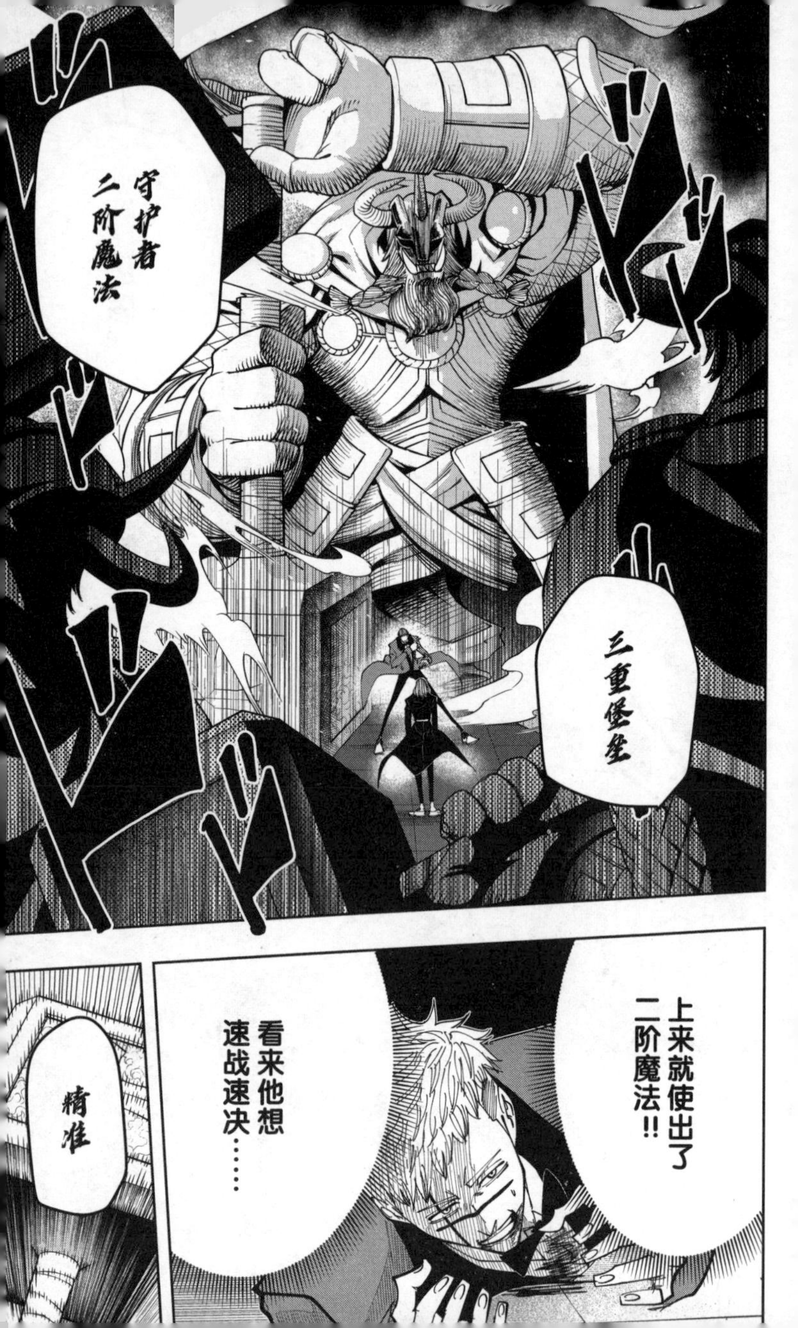

守护者
二阶魔法
三重堡垒
上来就使出了二阶魔法!!
看来他想速战速决……
精准

你就是在去年的考试中跟瑞恩·埃姆斯交过手的
克恩鲁斯吗……
嗞——
既然你不打算回答，
我就不客气了。

多米纳·布罗利夫，
如果你的回答不能令我满意，我会当场让你消失!!

*倒地
!
发生了什么?!
我们可是『神觉者』候选人啊!!
居然连出手的机会都没有……
咯咯!
呜啊!
来我的学校
有何贵干?

*嘭
啊咯……

你们是杂质……杂质就应该
被净化。
你这家伙在说什么……

第78话 马修·班迪德与三魔校争夺“神觉者”最终考试
圣·亚尔斯
马上就要最终考试了……
你跑到这里来干什么……
这可是违反规定的行为……
“神觉者”最终候选人
蓝宝石宿舍监督生
拉瓦·阿里西亚
“神觉者”最终候选人
托帕石宿舍监督生
马波尔·艾瑟
你们不配成为
『神觉者』。
?!
这应该是一场更加优质的活动。

早晨的习惯②-2

妹妹时间
バァ
AM 7:00
做早饭和便当
チャキ
チャキ
AM 7:20
妹妹时间2
パカー..
AM 7:45
去学校
必胜。
ババッ
AM 7:50

P128 待续

也不过如此嘛……

听说你曾经跟那个瑞恩竞争过，

不过也不要光长他人志气，
圣·亚尔斯派了去年跟瑞恩竞争『神觉者』的候选人。
我们会跟那边交涉，让他协助你。
跟瑞恩吗……
那还真是可靠啊·

那个人就是当时还是初中生的多米纳……
根本没人会相信一个初中生居然能战胜『神觉者』。但如果这事发生在多米纳身上，那就有可能。
简而言之，他是历代学生中最强的魔法使……

※多米纳·布罗利夫，日文ドミナ·ブロ·ライブ，布罗利夫和蓝光（ブル·ライト）发音相近。至于秋葵（オクラ），绝对是故意的（不是）。

……
008
秋葵·蓝光……真是个可怕的敌人啊……

我会按我自己的方式处理这件事，
你们爱怎么做，随你们。
没想到他这么轻易就接受了……
沃特大概有他自己的思量吧。
多米纳这个人，早在初中的时候就一直丑闻缠身……
很久以前，沃特的一个后辈，早在瑞恩之前就当上『神觉者』的一个人，
被不知道什么人逼入绝境，再也无法振作起来了。有传言说……

这就是最后的考试……
这样就行了吧，
沃特？
多米纳……
布罗利夫……
哼……

我要摧毁被黑恶势力侵蚀的魔法学校。
我要摧毁被黑恶势力侵蚀的魔法学校。
只要你赢得最终的胜利，
通过考试，
你就会成为『神觉者』，并被世界认同。
ザクッ

……
当然，这会是一场恶战。瓦尔吉斯的3个代表非常强大，跟你迄今为止遇到的对手完全不是一个级别的。
尤其是第一名的多米纳·布罗利夫，他是魔法界最强的学生。
！
他的实力跟我们这些『神觉者』相当，或者比我们更强……
他很有可能就是『纯粹的根源』的儿子……

总之，『神觉者』最终考试
对信奉神的国家来说，是一项重要的活动。
不能因为有所怀疑就随便中止，
所以，
为了阻止对方达成目的，
你要借着考试之机，摧毁已经被黑恶势力侵蚀的魔法学校。

而他们的目标就是在最终考试结束后会授予『神觉者』作为身份证明的
起源之杖。
授予魔法杖只是典礼上的一项仪式，
但问题是魔法杖中蕴含着大量魔力，
利用那里面的魔力……嗯？
要死掉了……
因为信息量太大……不行了……

『纯粹的根源』的儿子很有可能
以瓦尔吉斯魔学校学生的身份混在今年的『神觉者』候选人之中……
也就是说，如今统领精英校瓦尔吉斯的是恶势力首领的手下……

现有的魔法学校中，有3所是精英校——
伊斯顿魔法学校、
圣·亚尔斯圣魔学校、
瓦尔吉斯魔学校。
各校会派出优秀的『神觉者』候选人
参加最终考试，并从中决出一名『神觉者』。
但这次!!
情况有变!!

上头允许你参加下一场的『神觉者』最终考试——
三魔校争夺『神觉者』最终考试。
三魔校争夺『神觉者』最终考试？
！

嗯？
我是来干什么的来着？
欸？
不死之神杖
雷纳特斯·瑞沃
我是来干什么的？
呃……我也不知道。
对吧？
这个人怎么回事……
啊……
哎呀……好像快想起来了……嗯……
麻烦你帮我加加油，就快想起来了。
欸？加油，加油。
我正在全神贯注地想事情，安静点。
欸？
啊！

呼啊——
……
……
……
……
008

！
这是什么？
……!!
这家伙……
是什么时候挣脱沙子的束缚的……
呼……打架真的不好。

结束了。
马修!!

第77话 马修·班迪德与下一场考试

AM 6:30 起床

AM 6:35 整理仪容仪表

AM 6:45 收拾床铺

AM 6:50 打扫房间

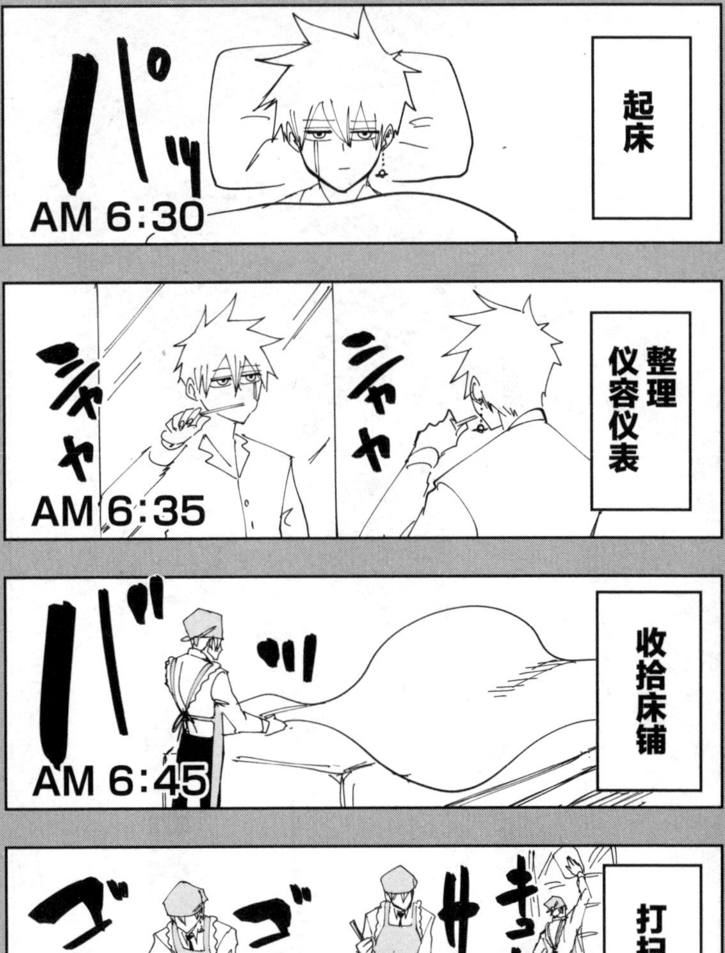

P108 待续

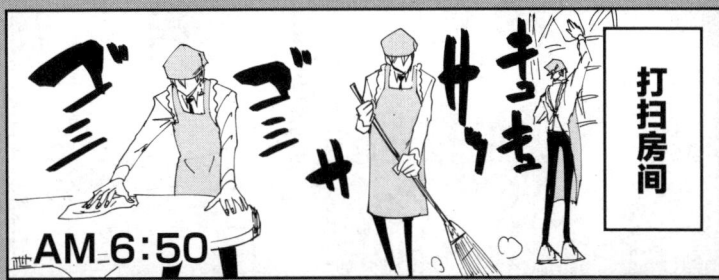

谁会听啊！

ビュバババ
以极快的速度脱掉法袍!!
法袍并没有意识到自己已经被脱掉了……
所以依然像个人似的站在那里……
可是……他是怎么做到的？
不可能……
你口中那种不公平的规则——

只有鞋和血？
替身术。
?!
我应该已经把他杀了……
啊啊啊……啊啊……
我刚刚……看到了可怕的一幕……
就在沃特大人放出最后一击的下一秒……
嗞
马修用自己那惊人的瞬间爆发力……

马修!!
……
不对劲……
有点奇怪……
鞋和血……

经过刚刚的接触，
我已经摸清了
他有几斤几两。
其余能做的
就是提高
质量和速度。
再怎么说
也是人类的
身体，
就算稍微
有些强悍，
到底还是一堆肉。

……
选择不躲吗？
马修，快躲开啊!!
沃特大人是真的想要杀了你!!

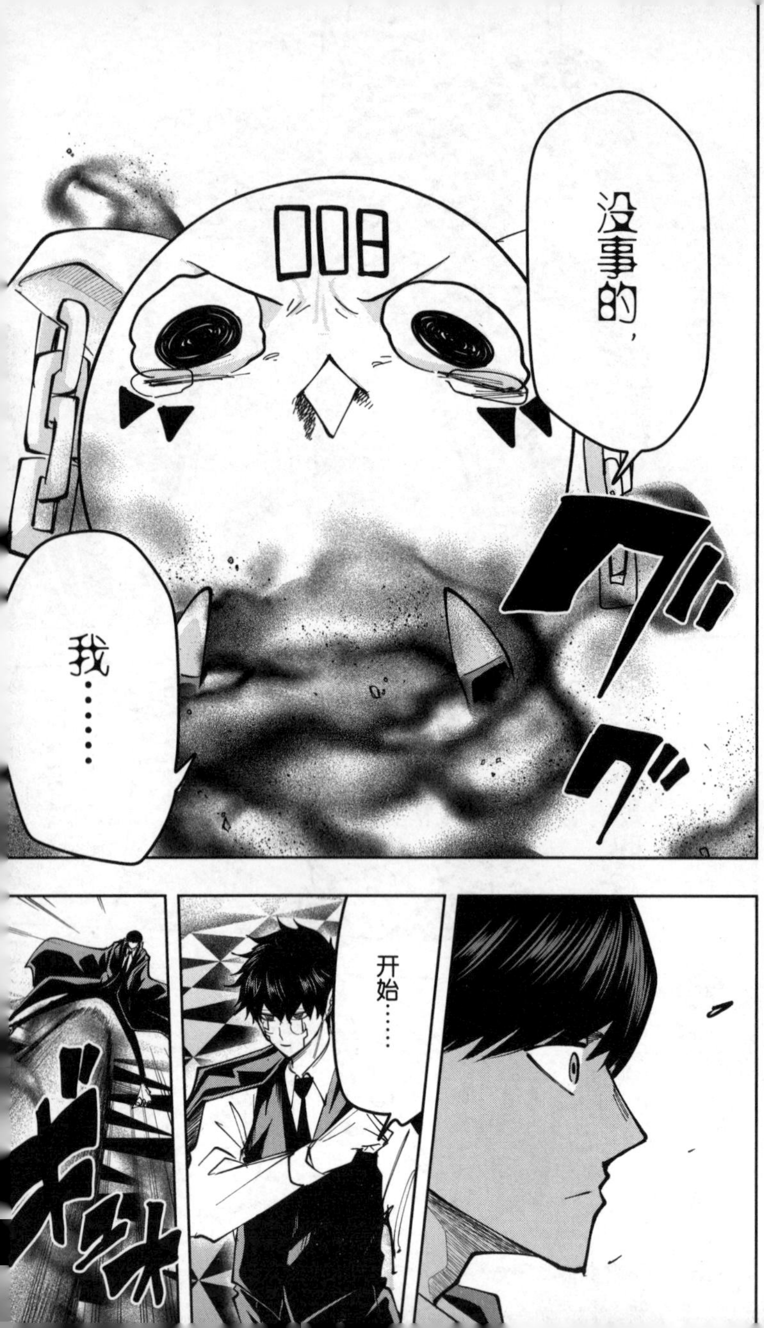
没事的，
我……
开始……

我是在模仿你愚蠢的言行，
这样你就会认识到，不舍弃是欠缺合理性的行为。
グググ
听明白了吗？
如果……你是
迫于无奈才跟我交手……
那么我肯定
不想伤害你。

指
!!
呜噗！
无法完成自己的职责的使役魔物必须遵照规则接受惩罚。
?!
马修·班迪德，从现在起，只要你敢躲，
我就会攻击这个家伙。

连历史都在否定
你这种人……
推
为了大局，
你就在这儿长眠吧。
……
那个使役魔物
也是一样，
是为了
让我们过得
更舒服
而供人使唤的奴隶。

为了大家的利益，
像你这种异类就应该被剔除。
……
在学校里，你虽然多少得到了一些认同，
但到了社会上就行不通了。
说到底歧视原本就是一种生存策略……
唰

ガ
原本应该如此。
但眼前的人是沃特·玛德尔。

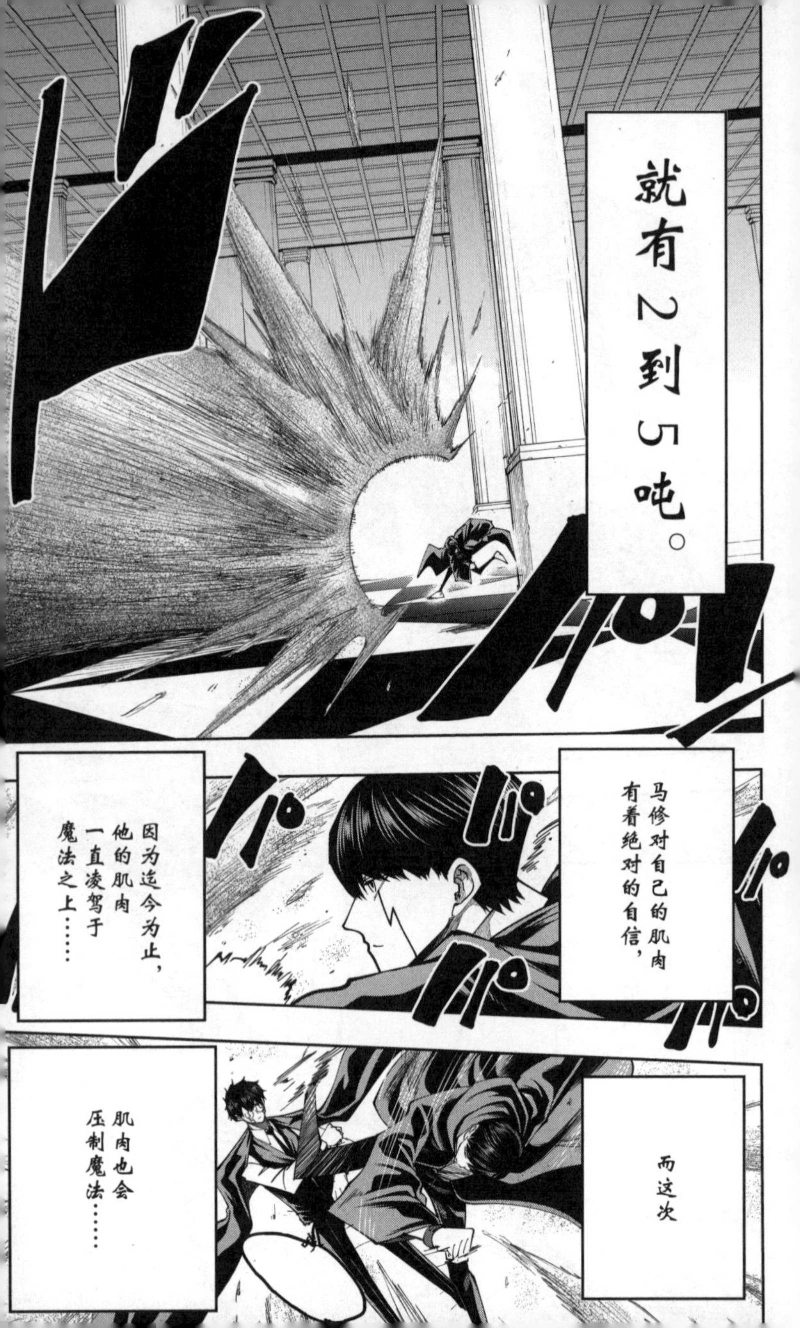
就有2到5吨。
马修对自己的肌肉有着绝对的自信，
因为迄今为止，他的肌肉一直凌驾于魔法之上……
而这次
肌肉也会压制魔法……

ドパ
爆发力。
肌肉的力量是实打实的，
假设一个人，他的背力是440千克，
パパパパパ
ド
那么这个人打出的拳力——

但话又说回来，
马修的肌肉会让不可能变成可能。
经过高度压缩的
肌纤维，
就像铁制的弹簧，
使马修拥有——

也能碎石。
而其所具备的柔软性
唰唰
又让其能发出没有规律可循的攻击，
而且根本不可能躲得开。

脚被抓住了。
呃呃呃……
沙子的可塑性。
ドボ
高密度的沙子凝固之后，
啊，拔出来了。
有时候甚至能削铁，
唰
哦哦。

呜哇，好大的洞……
沃特·玛德尔的沙之魔法之所以厉害，
就在于——

3分钟就让你
灰飞烟灭。
……
第76话 马修·班迪德与扛住！沙之枪

早晨的习惯①-2

P88待续

但要我说，完全没那个必要，
我一个人就能对付那家伙。
现在我就证明给所有人看。
看来，不打败你，
我一辈子都休想拿到公民权了。

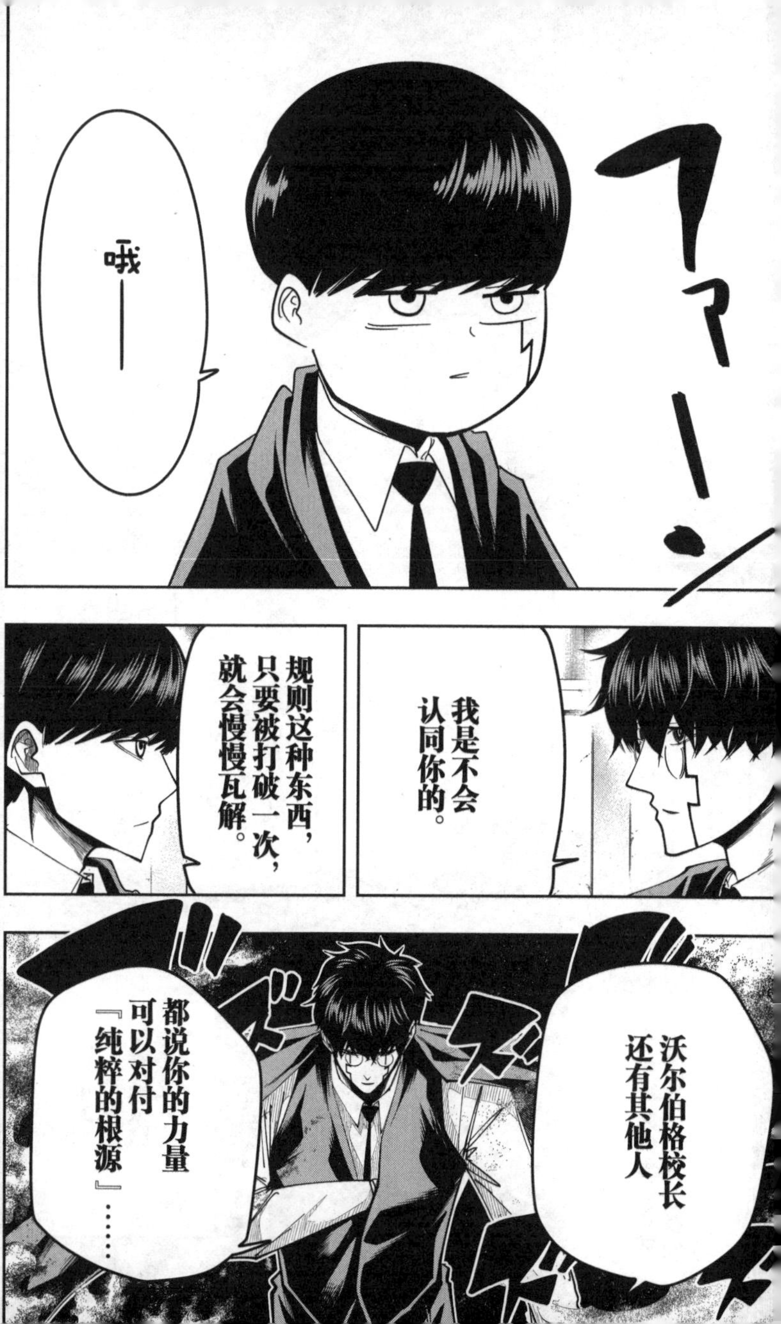
哦——
我是不会认同你的。
规则这种东西，只要被打破一次，就会慢慢瓦解。
沃尔伯格校长还有其他人
都说你的力量可以对付『纯粹的根源』……

6只魔人族。
人类能力的优劣由天赋决定。
智力和运动能力是这样，魔法也是如此。
努力则会令天赋开花结果。
可实际上……
能真正实现这一理论的只有被天赋眷顾之人……
而沃特大人就拥有在魔法界一等一的天赋。

但沃特大人不同……
他一到便将魔人族消灭了。
而令人震惊的
是数字。他一共消灭了——

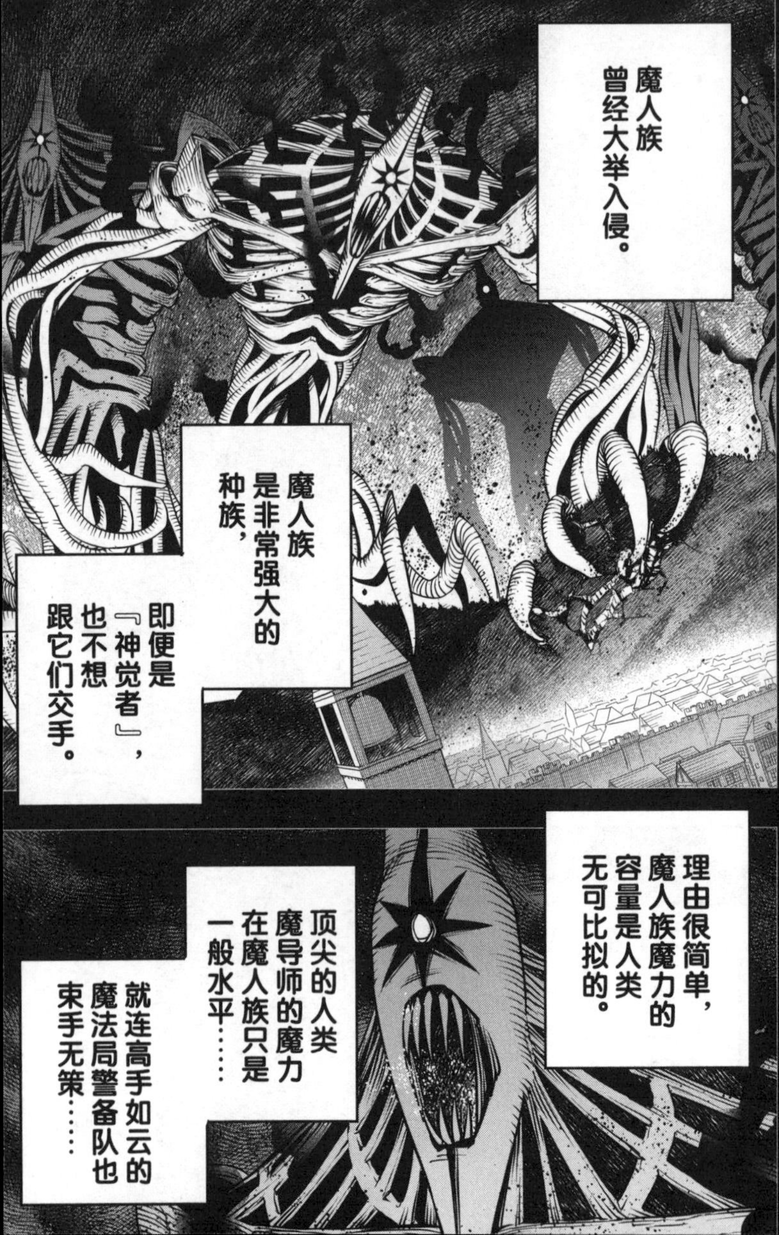

魔人族曾经大举入侵。
魔人族是非常强大的种族，
即便是『神觉者』，也不想跟它们交手。
理由很简单，魔人族魔力的容量是人类无可比拟的。
顶尖的人类魔导师的魔力在魔人族只是一般水平……
就连高手如云的魔法局警备队也束手无策……

瞅我不顺眼的
是你本人吧？
不要!!
哪怕您是『神觉者』候选人，也绝不是沃特大人的对手。
放心吧，没事的。
不，万万不可……我是知道的。
几年前……

吩咐你做的小事完成了吗？
沃……
沃特大人……
对……对不起!!
你不用勉强自己。

……
他……
明明只是个人类……
却对我如此温柔。
?!
你在搞什么鬼？
!

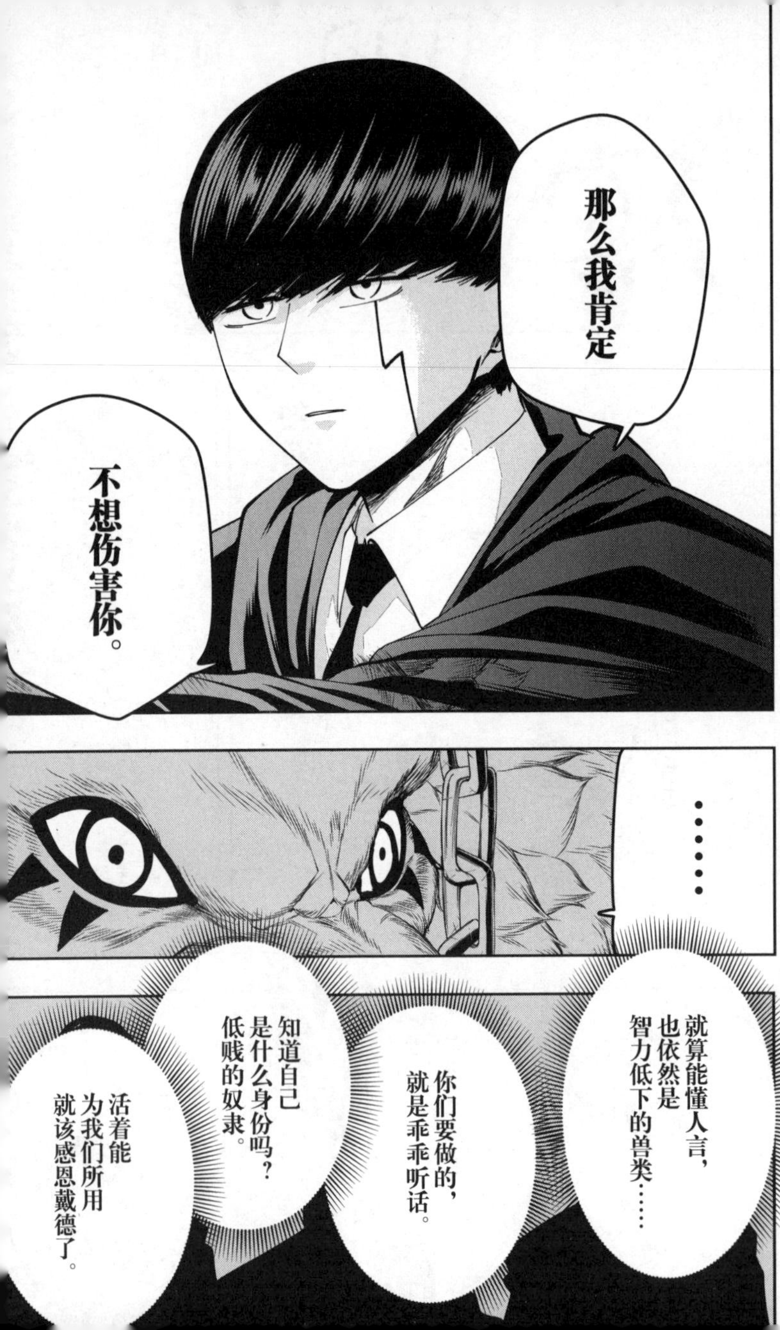
那么我肯定
不想伤害你。
……
就算能懂人言，也依然是智力低下的兽类……
你们要做的，就是乖乖听话。
知道自己是什么身份吗？低贱的奴隶。
活着能为我们所用就该感恩戴德了。

你并不是出于自己的本意。
……
啪嗒啪嗒
你说自己是受到诅咒才听从别人的命令，
这一点也令人在意。
如果……
你是
迫于无奈才跟我交手……

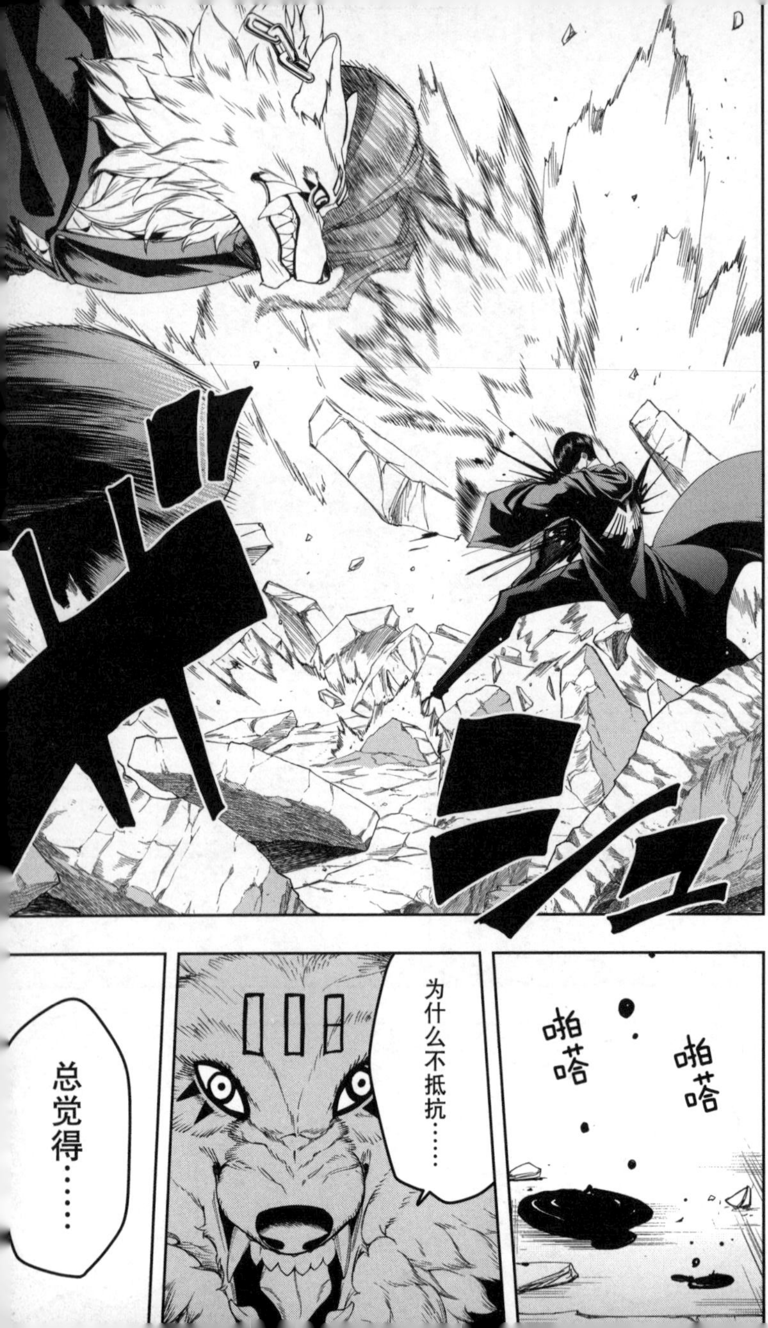

啪嗒
啪嗒
为什么不抵抗……
总觉得……

ザァッ
……
这就是为身为魔法不健全者的你
准备的考试。
ギュ
正合我意。
！

你不知道吗，
我们使役魔物是怎样一种存在？
我们身上都有诅咒，那就是绝不能对主人出手，
以此换得强大的力量。
所以我们必须听从魔法使的吩咐。

怎么会这样，
这就是传说中的在不了解对方的情况下说了什么失礼的话吗？
跟那个一点关系都没有，
我接到的命令就是消灭你。

这种态度
真让人不爽！

那还真是惨啊……周围人的反应都很激烈吧……
我能体谅您的心情……
没有你说得那么惨，
因为我一直锻炼身体……
嗯？
ズズズ
好像来到了一个很宽敞的地方……
现状明明那么残酷，您还真是轻描淡写啊。
……!!
ビキ
ビキ

我是使役魔物008号。
啊……你好，我叫马修·班迪德。
请随我往这边走。
请小心脚下……
好……
我听到了一些传言，
说您是魔法不健全者……
对，没错。哈哈……

当然，不合格者
没资格参加最终考试，要小心应答。
也就是面试吗……
哼……就会搞这种形式主义的东西。
被叫到名字的人跟着向导去见考官。
啊——啊——嗯哼，我喜欢吃奶油泡芙……嗓子状态很好。
下一位，马修·班迪德。
啊，在。
接下来将由我为您带路。

魔法局
『纯粹的根源』袭击事件发生后，从结果来说，进入最终考试的
是达特、兰斯、马修3人。
第75话 马修・班迪德与口试
终于来到最终考试。
还以为现在这种状况不会继续了呢……
你们来啦……
!
接下来，『神觉者』将对你们进行
最终考试前的口试。

早晨的习惯①-1

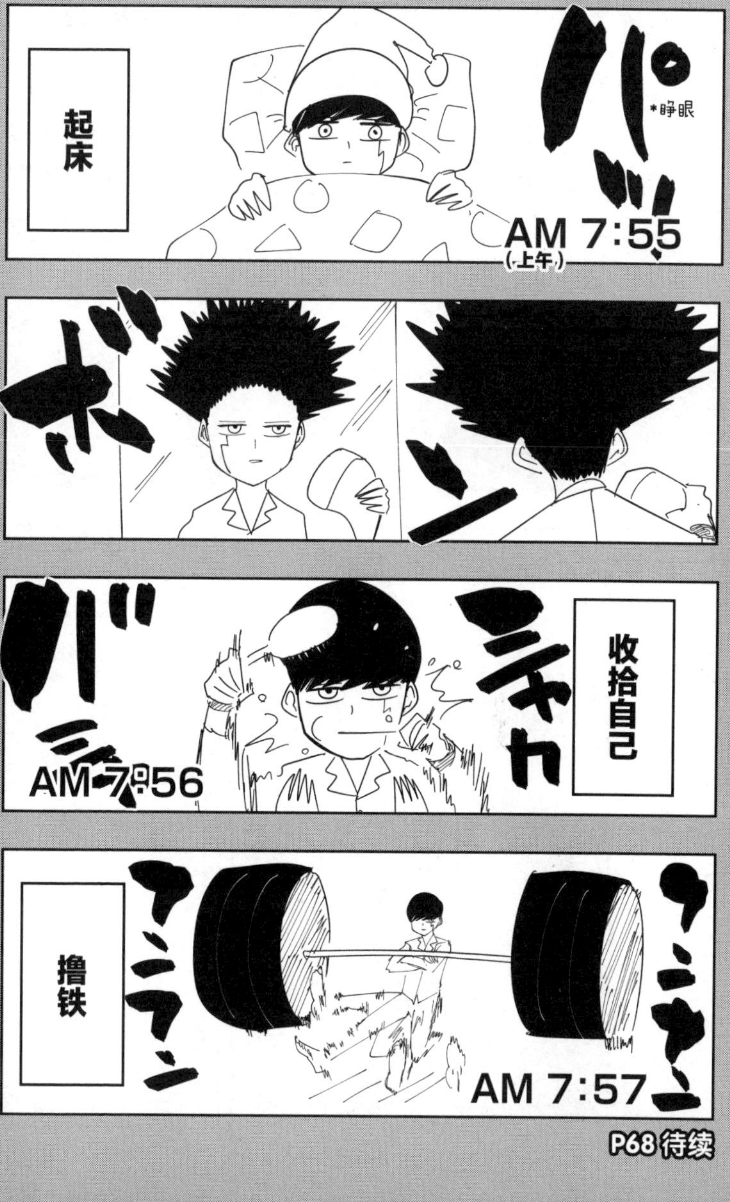
パッ
*睁眼
起床
AM 7:55
(上午)
收拾自己
AM 7:56
撸铁
AM 7:57

P68 待续

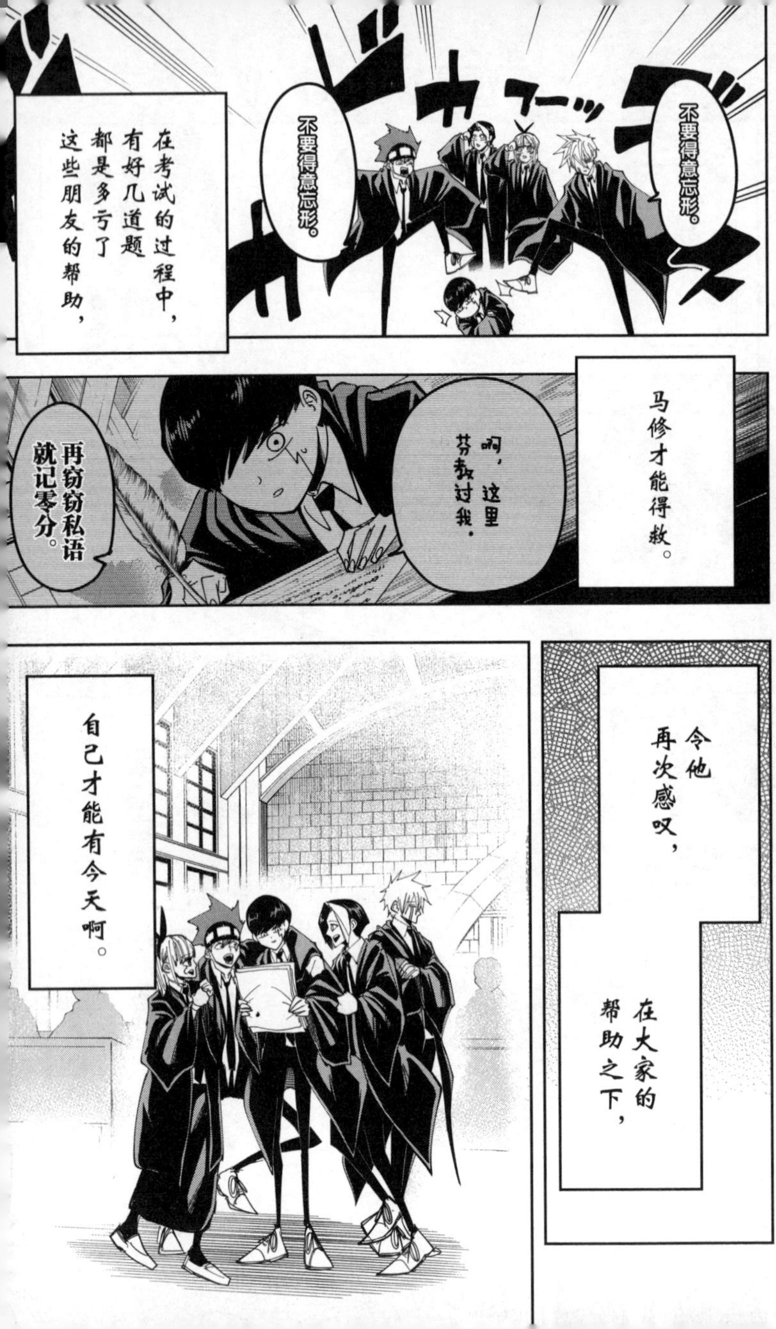

不要得意忘形。
ブーッ
不要得意忘形。
在考试的过程中，有好几道题都是多亏了这些朋友的帮助，
马修才能得救。
啊，这里芬教过我。
再窃窃私语就记零分。
令他再次感叹，
在大家的帮助之下，
自己才能有今天啊。

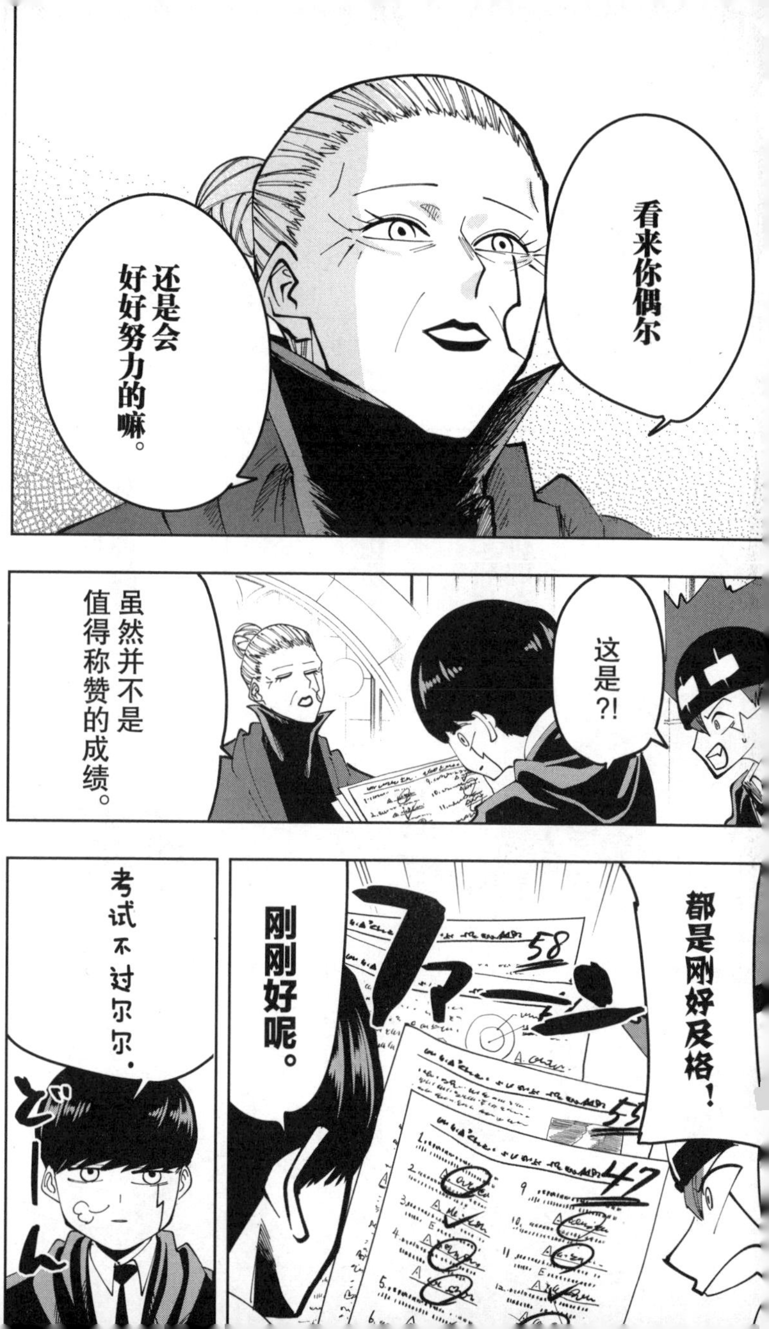
看来你偶尔
还是会好好努力的嘛。
这是?!
虽然并不是值得称赞的成绩。
都是刚好及格！
刚刚好呢。
考试不过尔尔。

下一位，马修·班迪德。
是。
你平时对学校的课程
总是表现出反抗的态度。
呃……我没那个意思。
平时的成绩也很差。
嗯嗯嗯。
有的时候我都忍不住想说，你被开除只是时间的问题。
欸？

停笔——
*叮咚
你出了好多汗……该不会……
……
喂，你倒是说句话啊!!
喂!!
啪嗒
啪嗒
啪嗒
啪嗒
啪嗒
啪嗒
啪嗒
啪嗒
公布成绩的日子
马上就要揭晓了……
跟大家一起……毕业……
*小声

呼——
好。
嘀嗒
嘀嗒
嘀嗒
嘀嗒
*咯吱
*嘀嗒
*咯吱
*嘀嗒

考试当天
能做的都做了，
剩下的就是给你加油打气。
加油。
现在开始考试。
好的。

对不起，我不该逃走，
请大家再教我一次吧。
啊——啊——怎么办呢——
我好像没什么……
快回座位。
马修，我们一起努力吧。
抱歉，抱歉，我开玩笑的。
是不是显得很小气？是不是觉得我一点度量都没有？
从这里开始，
这里这样。
不要无视我啊!!我真的知道错了!!
就这样，
马修每日埋头于自己不擅长的学习。

谢谢你，
芬……
芬，你说得没错，
让你看到我没出息的样子了……
我会加油。
你身上有好多鼹鼠。

我想一起毕业！
跟马修你一起！
一起加油吧！
好吗？
……

马修。
ビクッ
对不起，芬。
学习我真的不行……
这一点都不像你哟。
平时的你，就算面对看起来打不过的对手，也会不计后果地面对，不是吗？

马修到底跑哪儿去了……
！
がぼーん
竟然埋在
土里!!
我要就这样
归于尘土。

他逃了!!
马修!!
慢着……别追了。
不考虑后果，遇到困难就选择逃避，证明他作为男人也不过如此。
我还没有闲到
硬要去教一个根本没心思学习的人。
……
我还是去看看吧。
哼……

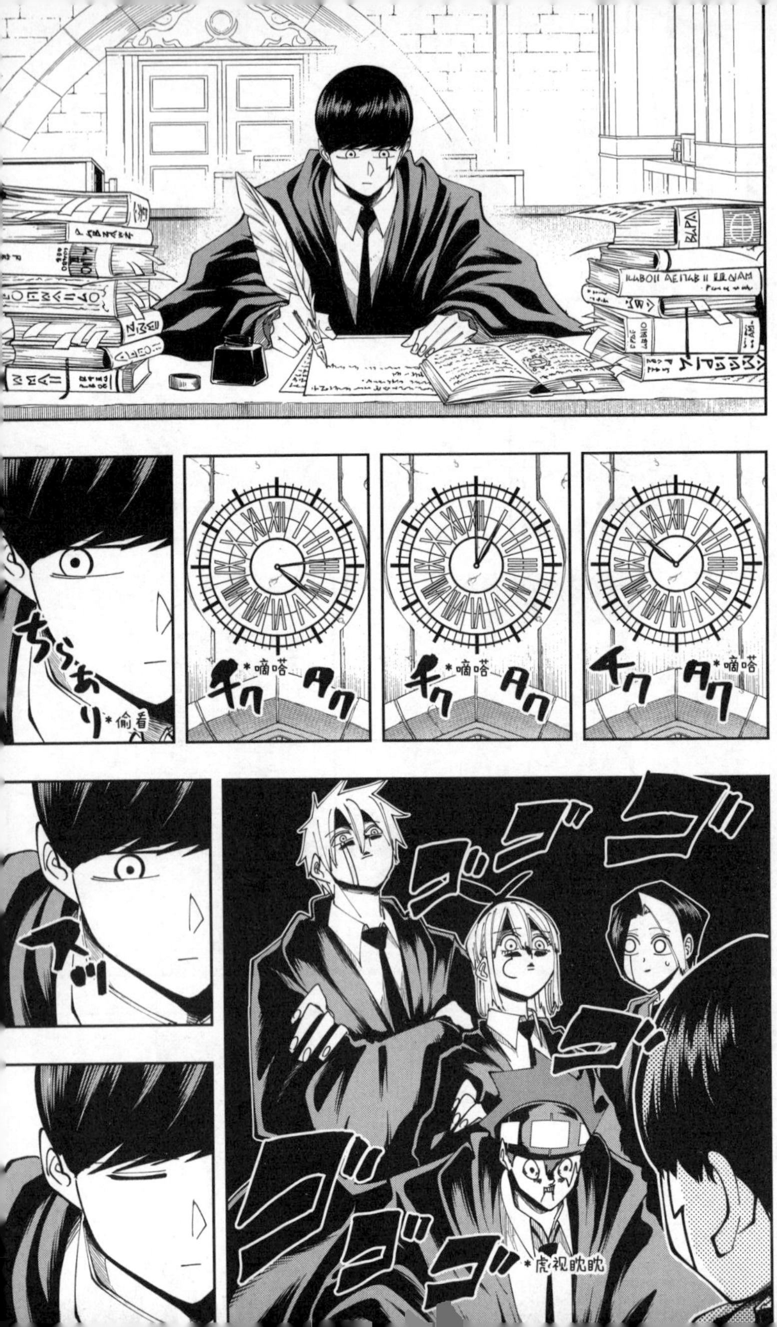

チク タク
*嘀嗒
チク
*嘀嗒
タク
チク
*嘀嗒
タク
ちらぁり
*偷看
ゴゴゴゴ
*虎视眈眈

呜呜呜呜呜呜呜呜呜!!
ガタガタガタガタガタガタ
*哆嗦
啊啊啊啊啊啊啊啊啊啊!!
不行……
感觉完全学不会，以后也不可能学会。
必须学会，
ビシィッ
学不会就会被开除了啊。
好严厉，魔鬼……恶魔……

魔法语言需要一点小技巧……
魔法学……
ボタ
ボタ
*啪嗒
*嘭
怎么了?!
我听到了爆炸的声音!!
啊!
啊!

那就开始上课吧。
魔法数学先从基础补起，
不要想应用的问题了，一切都是为了应试。
好的。
最主要的就是把解法背下来，以及知道怎么套用……
接下来是魔法史，先记住几个关键词，然后用线串联起来……

呜呜呜呜呜呜呜呜呜!!
ブルブル
*哆嗦
啊啊啊啊啊啊啊啊啊!!
我好像受伤了……
放心吧，我会用心教你的。
嗯……
请教……教……
我……
ギリ
*咬牙切齿
ニコー
*微笑

达特，你的成绩很好吗？
很好啊。
学习是为了达成目标而努力的最简单的形式，
所以我就把学习当成努力的练习，每天一点一点学了下来。
而且最后还能拿到学历，对自己没有坏处，毕竟我不想等长大成人之后，因为这个再后悔呀。

呜呜呜呜呜呜呜呜呜!!
ブルブルブルブル
*哆嗦
啊啊啊啊啊啊啊啊啊!!
实操还能蒙混过关,
笔试竟然全灭啊……
啊啊啊啊……
他已经精神错乱了,
这是有多不爱学习啊……
好想回家……
放心吧,我们会帮你的。
欸?

物理魔法使马修

MASHLE

第74话 马修·班迪德与不能输的战斗

第74话 马修·班迪德与不能输的战斗

堵在马修面前的正是名为期末考试的高墙。
之前为了测试你现在的实力，对你进行了模拟考试，
现在发还试卷。
我看看——
魔法语言30分。
パラ
魔法史10分。
魔法药学3分。
パラ
パラ
魔法数学10分……
啊！
啊！
呜！

给购买本书的读者

非常感谢您购买第9卷!!

这套漫画连载快两年了……一路走来有起有伏，

多亏了大家的支持才能坚持到现在……

这次把第9卷拿来做过渡卷，内容都是

为下一战做准备，

打算赌一赌，看自己能不能像厉害的漫画家

那样把这套漫画做成一部长期连载的作品……

因为这一任性的举动，我的手指如今

正夹在集英社桌子的抽屉里。

要是下一章节不够有趣的话，

等着我的就是手指被夹断吧。

加油！我要加油！加油!!

又及：大家的来信时刻激励着我!!

你们都是大好人啊……

也让我意识到有很多人在看我的作品!!

我真的不是个优秀的人（糊涂得

没发现身上还有呕吐物就出门了），

我会向大家学习，将来成为正直的人!!!

哦!!

不过马上就是期末考试了，
你能考过吗？
欸？
有一科不及格就会被开除呢。
啊……
啊啊啊啊啊啊啊!!
啊啊啊啊啊啊啊!!

老朽没能改变这个世界……要靠你来实现了……
我很看好你啊，马修·班迪德。
请放心交给我……我会暴揍敌人，让世界恢复和平，
然后
跟大家一起顺利地毕业。
马修……

更何况，我的肌肉是不会输的，
所以我百分之百会赢哟。
这是什么脑回路才能想出来的理论啊……
我就喜欢他这点。
最关键的就是他强大的精神力……
积极向上，而且不会抛弃弱小。真正强大的是他那颗难能可贵的心……

离谱的力量，
他那离谱的力量
必定会让他成长为能够攻克最强魔法的小鬼头……
但是……
对方可是世界上最强的魔法使啊……
小雷蒙，放心吧，
！
结果不是输就是赢，
也就是有50%获胜的概率。

老朽坚信能够颠覆这一情况的不确定因素
正是马修·班迪德……
……
通过锻炼，他获得了
瞬间的爆发力、
强健的体魄、
坚强的毅力，
以及……

再这样下去，世界会终结……
这是毋庸置疑的……
チュ～ッ
『纯粹的根源』居然积蓄了如此强大的力量……
我们赢的概率趋近于零。
……
如果是一般情况的话。
！

……
……
不仅如此，
他手下的五兄弟
都是顶尖的魔法使……
实力都与老朽相当，
或者比老朽更强……
什么……
那么强大的敌人
竟然还有5个……

拥有固有魔法中最强的时间魔法，
加上老朽的空间魔法，
还能通过禁忌魔法增强魔力……
眼下的『纯粹的根源』
可以说是魔法界史上最强大的魔法使。

校长!!
您为什么会在这里?!
因为是夏天啊。
可是，您的伤……
还很严重啊!!
为什么受了这么重的伤还要来这里?!
因为一年只有一个夏天啊。
话是这么说没错!!
正如你们所知，不打败『纯粹的根源』，
马修·班迪德就休想过上太平日子。
……

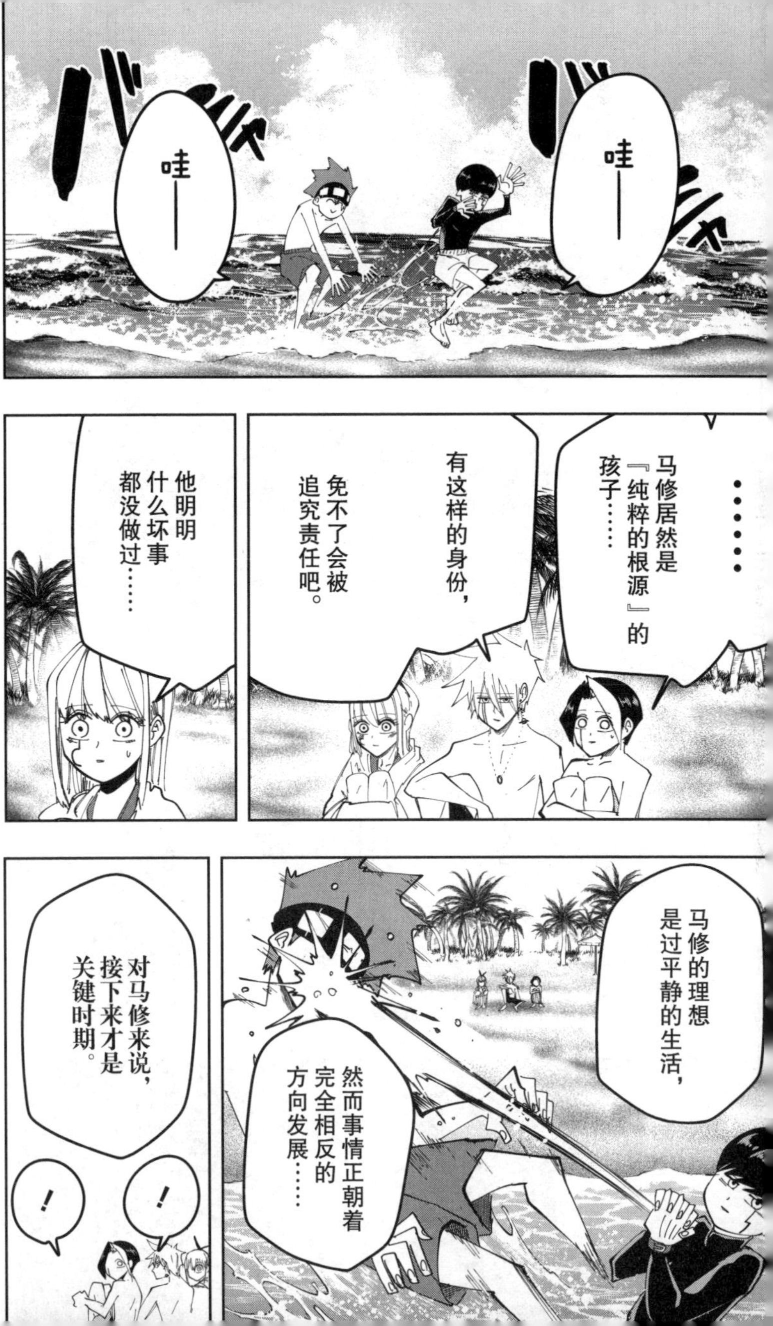

バシャ
哇——
バシャ
哇——
……马修居然是『纯粹的根源』的孩子……
有这样的身份，免不了会被追究责任吧。
他明明什么坏事都没做过……
马修的理想是过平静的生活，
然而事情正朝着完全相反的方向发展……
对马修来说，接下来才是关键时期。
！
！

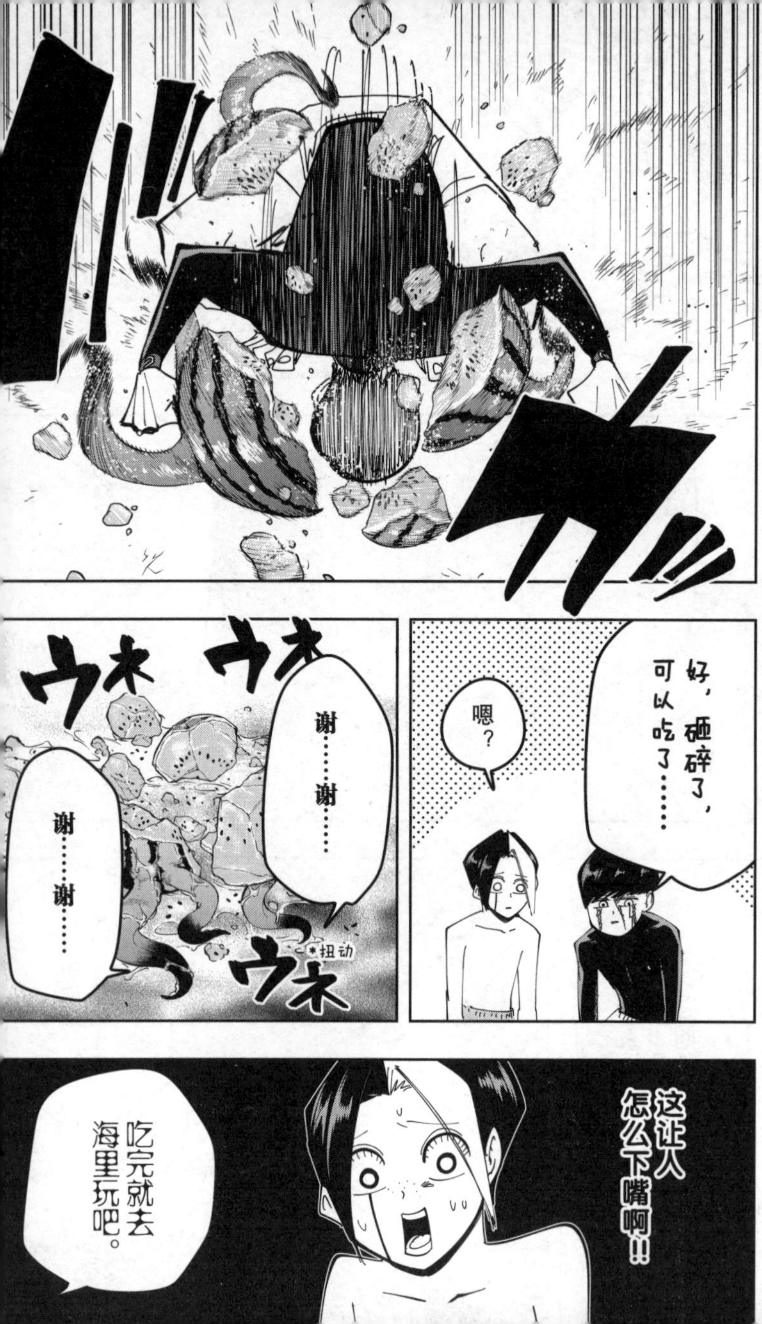
ガッ
ウネ ウネ
谢……谢……
谢……谢……
ウネ
*扭动
好，砸碎了，可以吃了……
嗯？
这让人怎么下嘴啊!!
吃完就去海里玩吧。

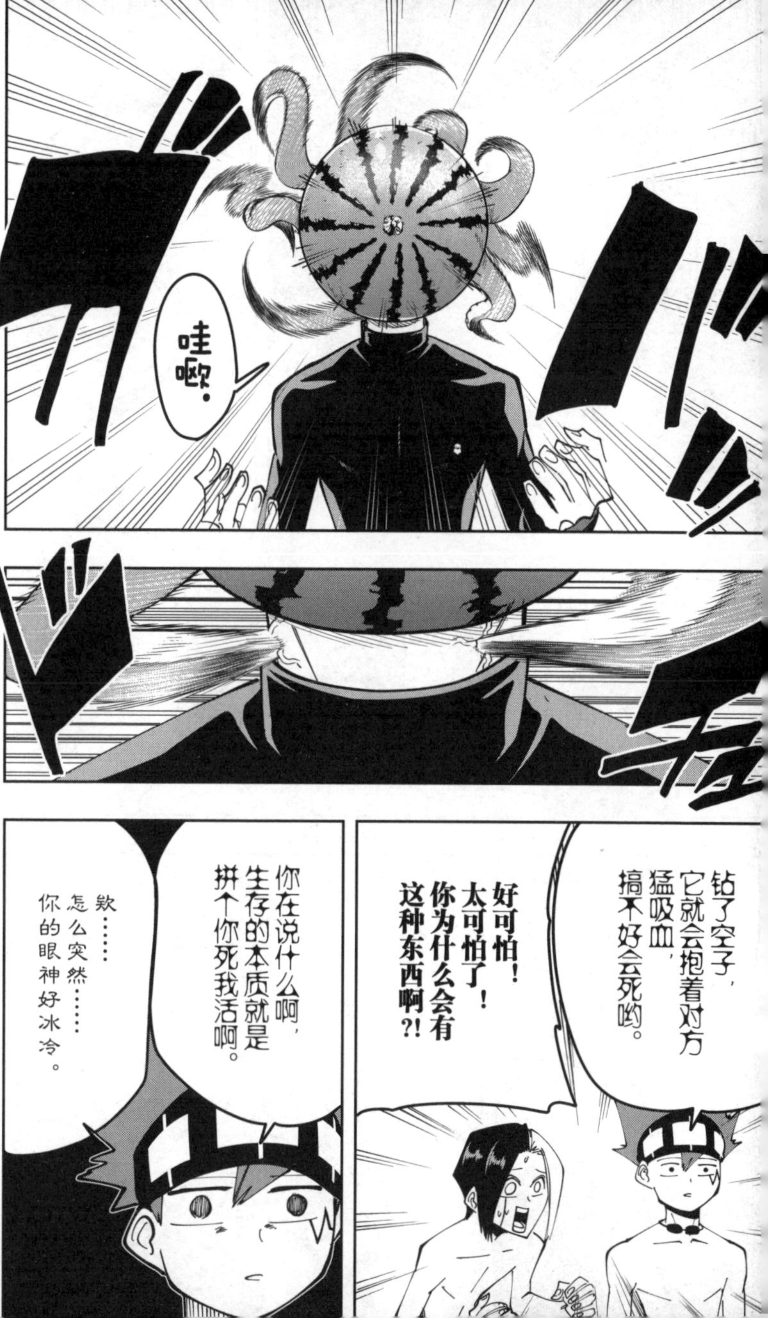
哇噢。
钻了空子，它就会抱着对方猛吸血，搞不好会死哟。
好可怕！太可怕了！你为什么会有这种东西啊?!
你在说什么啊，生存的本质就是拼个你死我活啊。
欸……怎么突然……你的眼神好冰冷。

……
这也是没办法的事，谁让大家的个性都那么鲜明呢。
不过在这种状况下来海边真的好吗？
笨蛋，越是这种时候，越应该砸个西瓜来发泄啊。
就是说啊·
给，这是魔西瓜。
扭动
扭动
ビュッ
*咻
原来如此……要砸碎这个啊·

来到了海边。
哇啊啊啊啊啊啊啊!!
*哗啦
夏天就是应该来海边啊!
我还是第一次来海边呢。
我也是第一次跟朋友来。
我也是。
我也是。
我也是。

魔法局在经历了此次事件之后，
紧急采取增强警备、
情报统制等措施。
而唯一知道真相，
此次事件的当事人马修，
接受了这一沉痛的事实……

数日后
ゴゴゴゴ
『纯粹的根源』闯入伊斯顿魔法学校这件事
在全世界引起了热议。
为了避免引起混乱，
魔法局对外宣称是『神觉者』们赶走了『纯粹的根源』，
不过依然有不少人对此抱有疑问。

你也站到马修·班迪德那边了吧……
只不过稍微展现了一下实力，就改变了你对他的看法，你什么时候变得这么没有原则了？
我是绝对不会认同那家伙的……
呵呵……
我还没有彻底认同他。
……
只不过，
他的实力是货真价实的……
不得不承认这一点的那天，或许很快就会到来。

ダッ
ダッ
ダッ
!!
バッ
救命……
救救我吧。
这个人应该是操纵怪物的囚犯！
沃特那家伙打算杀了他……

第73话 马修·班迪德与愉快的夏天

目 录

雷蒙·欧文

在插班考试时为马修所救，因此喜欢马修。

达特·巴雷特

为人耿直，很吵。因为不受女生欢迎而嫉妒帅哥。

沃特·玛德尔

“神觉者”。主要工作是魔法魔力管理。拥有“沙之神杖”的称号。

沃尔伯格校长

魔法学校的校长。认同马修，对他充满期待。

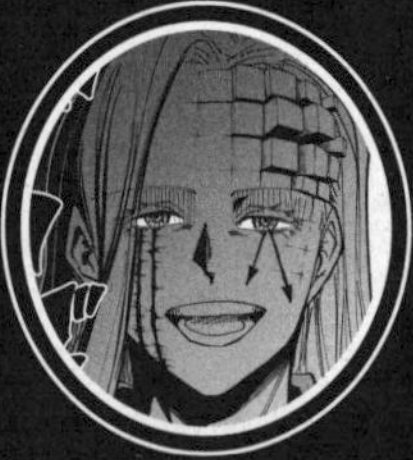

“纯粹的根源”

活跃在地下的暗魔法组织的首领。使用时间魔法。

卡尔德·盖亨纳

“神觉者”。魔法人才管理局局长。拥有“炎之神杖”的称号。

前情提要

这里是人人会用魔法、魔法的优劣决定一切的魔法界。每天锻炼肌肉的勇猛少年马修身上隐藏着一个秘密，那就是完全不会使用魔法。在魔法界，不会使用魔法的人会被消灭。马修为了重新过上平静的日子，决定进入魔法学校拿到“神觉者”称号!!凭借着异于常人的肌肉，马修处处凌驾于魔法之上，终于站在了“神觉者”候补选拔考试的考场上!!就在马修赢得最后一场比赛胜利的下一秒，“纯粹的根源”带着手下出现，欲带走马修!!沃尔伯格校长与“纯粹的根源”对峙。二人原来是君临魔法界数百年的传说中的魔法使亚当的关门弟子!!同时，马修与赛尔·沃动起手来!!马修从赛尔口中得知自己是“纯粹的根源”为了打造完美的身体而生下来的零件后，大受打击。但他依然凭借绝对强大的肌肉勒晕赛尔，并在千钧一发之际赶到沃尔伯格身边!!肉体尚不完美的“纯粹的根源”撤退，留下一只怪物，将怪物扔飞、保护了学校和伙伴们的马修接下来将会面临……

人物简介

马修·班迪德

不会使用魔法的稀有少年。用千锤百炼的肌肉粉碎所有魔法。缺乏常识，经常把事情搞砸。对家人和朋友很好，是个老实的乖孩子。最喜欢吃奶油泡芙。进门的时候分不清该推还是拉。

兰斯·库朗

插班考试第一名。有实力的帅哥。溺爱妹妹，十足的妹控。

芬·埃姆斯

马修的室友。负责吐槽。是马修的第一个朋友。

物理魔法使马修

MASHLE

[日] 甲本 一 绘著

HAJIME KOMOTO

9

马修・班迪德

与三魔校争夺“神觉者”最终考试

CNS PUBLISHING & MEDIA

湖南文艺出版社 HUNAN LITERATURE AND ART PUBLISHING HOUSE

博集天卷 CS-BOOKY

甲本一